Mady

Le camp Bear Town

Véronique Dubois

Catalogage avant publication de Bibliothèque et Archives nationales du Québec et Bibliothèque et Archives Canada

Dubois, Véronique, 1976-

Mady

Sommaire: t. 1. Trop malade, ma vie -- t. 2. Le camp Bear Town -- t. 3. Cauchemars à quatre pattes!.

Pour les jeunes de 10 ans et plus.

ISBN 978-2-89595-490-3 (v. 1)
ISBN 978-2-89595-491-0 (v. 1)
ISBN 978-2-89595-492-7 (v. 2)
ISBN 978-2-89595-493-4 (v. 3)

I. Wilkins, Sophie. II. Titre. III. Titre: Trop malade, ma vie. IV. Titre: Le camp Bear Town. V. Titre: Cauchemars à quatre pattes!.

PS8607.U219M32 2010 jC843'.6 C2010-941166-8
PS9607.U219M32 2010

Auteure : Véronique Dubois
Révision : Sophie Ginoux et Sylvie Tremblay
Correction : Sophie Ginoux et Sarah Bigourdan
Illustration de la couverture : Sophie Wilkins
Graphisme : Julie Deschênes et Mika

Dépôt légal — Bibliothèque et Archives nationales du Québec, 2e trimestre 2010

ISBN 978-2-89595-492-7

Gouvernement du Québec — Programme de crédit d'impôt pour l'édition de livres — Gestion SODEC

Boomerang éditeur jeunesse remercie la SODEC pour l'aide accordée à son programme éditorial.

Nous reconnaissons l'aide financière du gouvernement du Canada par l'entremise du Programme d'aide au développement de l'industrie de l'édition (PADIÉ) pour nos activités d'édition.

Imprimé au Canada

ASSOCIATION NATIONALE DES ÉDITEURS DE LIVRES

À mes deux éditrices,
Merci, Danielle Lalande et Manon Bergeron.
Grâce à vous, je réalise mon rêve d'écriture.
Je vous adore !
Véronique xxx

Table des matières

Samedi 30 juin,
À nous deux, petit cahier d'écriture neuf!
L'arrivée au camp Bear Town!

Mon voyage dans l'autobus n'a pas été de tout repos. Stéphanie me collait un peu trop, et la batterie de mon baladeur m'avait lâché! Par manque d'organisation, j'avais oublié d'en mettre plus d'une dans mon sac! Finalement, j'aurais peut-être dû laisser maman jeter un coup d'œil dans mes affaires. Enfin, ce n'était pas si pire. Castor nomade s'était levé et se tenait entre deux grosses tiges de métal. Cela lui permettait de nous parler sans tomber.

— Les enfants, je vous présente Bear Town, votre nouveau chez-vous pour six semaines! Qu'est-ce que j'avais fait pour passer six semaines dans un camp de vacances? Je me sentais seul au monde, tout à coup.

— J'espère que le trajet n'a pas été trop long?

Tout le monde lui a répondu un gros Non.

— Tant mieux ! Parce qu'on va débarquer nos bagages sans aide, cette fois-ci ! On va prendre ensuite notre rang pour les présences, l'attribution des maisons et des moniteurs.

Tout le monde chuchotait et on pouvait sentir la nervosité de tout le monde dans l'autobus. Je n'étais pas le seul à avoir la trouille de partir si longtemps de la maison !

L'autobus s'est faufilé entre deux énormes rangées d'arbres qui semblaient s'éloigner du monde civilisé. Quoi, ce camp était vraiment perdu dans le fond des bois ?! Mon anxiété devait se voir, parce que Castor nomade s'est approché de mon banc.

— Ça va, mon grand ?

— Oui, pourquoi ?

— Juste comme ça ! Tu vas voir, tu vas adorer ça. C'est toujours un peu épeurant quand on vient de la ville comme vous autres !

— Ah ! J'te crois…

— Tu verras ! Ça va bien se passer.

J'avais envie de dire « j'espère », mais c'est resté coincé dans mon « gorgoton », comme l'aurait dit ma grand-mère Thérèse.

Emma, qui n'était pas assise très loin avec sa nouvelle amie, Josée, s'est étirée et m'a regardé, les yeux pleins de questions. Je ne voulais surtout pas qu'elle pense que j'étais une poule mouillée.

— Oh, c'est ok ! Il voulait juste savoir si j'allais bien !

Elle a hoché la tête en disant :

— On se voit à la sortie du bus ?

— Ok !

J'avais hâte d'être avec elle. J'étais tellement stressé d'être si loin de chez moi qu'elle était mon seul point de repère. J'ai sorti ma pompe à asthme et j'en ai pris une *shut*. Il me semblait que j'étouffais, tout à coup. Stéphanie s'est tournée vers moi et m'a fait sortir de mes rêveries.

— Qu'est-ce que tu fais ? Ça fait deux fois que je te demande si tu veux t'asseoir à côté de moi quand on ira dîner tantôt.

Bon sang qu'elle me tombait sur les nerfs ! J'ai donc pris une décision. Il fallait qu'elle arrête de me coller sans cesse comme une sangsue sur un mollet poilu !

— Stéphanie, tu pourrais pas arrêter un peu avec ça ? On va peut-être manger dehors, assis sur des roches pointues !

— Pas besoin d'être bête de même !

— J'suis pas bête ! J'suis juste un peu stressé !

Elle a immédiatement pris une voix plus douce.

— Tu vas pas bien, dis ?

— Ah ! Arrête...

Je n'étais plus capable de la supporter. Heureusement, l'autobus s'est enfin arrêté devant l'entrée d'une grosse maison en bois rond. Devant elle, on pouvait voir une immense porte avec d'énormes dessins en fer forgé. On se serait cru au temps de nos ancêtres les colons! Ouais, j'étais loin de Montréal !

La voix de Castor nomade s'est élevée au-dessus du brouhaha qui avait envahi le bus.

— Bienvenue à tous ! On va maintenant sortir et prendre nos sacs ! Ensuite, dirigez-vous vers la petite butte, en haut à gauche de la maison. Vous y trouverez les moniteurs et la liste des maisons ! Soyez sages, ok ? Et surtout, gardez votre beau sourire ! Il fait beau aujourd'hui, c'est une journée parfaite pour votre arrivée au camp Bear Town.

Josée et Emma ont été les premières à sortir et, dès que j'ai pu m'éloigner de Stéphanie, j'ai demandé à Emma de m'expliquer pourquoi elle m'avait fait subir le voyage avec sa copine.

— Eh ! Pourquoi tu m'as mis dans le trouble avec Stéphanie ?

— C'était pour rire, voyons !

— Ben, j'ai pas trouvé ça drôle pantoute !

— Arrête, c'était pas si pire que ça, quand même.

— Parle pour toi !

— Ok ! Je m'excuse !

— Tu vas devoir te reprendre! Tu vas lui dire que je m'intéresse pas à elle, hein ?

Emma a un peu rouspété :

— Oh, Mady ! Tu devrais t'arranger avec ça !

— Non, c'est de ta faute, tout ça ! Tu vas lui dire que je veux pas sortir avec elle !

Elle m'a alors fait un petit clin d'œil et Stéphanie, qui se tenait derrière moi, m'a fait sursauter.

— De quoi vous parlez ?

Emma et Josée ont pouffé de rire, et je me suis senti ridicule.

— De rien ! On parlait d'un nouveau téléroman.

Emma a confirmé la chose.

— Mady avait du mal à imaginer qu'il passerait six semaines sans regarder la télé !

Stéphanie a semblé soulagée.

— Ah oui ? Moi aussi, je me demande comment je vais faire ! Mady, je trouve qu'on a encore plus de points en commun que je pensais !

Ça y est, j'étais découragé... et la journée ne faisait que commencer. Je ne voyais pas la fin de cette comédie.

— Bon, je vais ramasser mon sac, ai-je lancé en m'éloignant.

Je suis parti à la rencontre des moniteurs sous les arbres. Les filles suivaient derrière et je les entendais placoter. Il fallait que je me fasse un ami au plus vite, sinon j'allais faire une overdose de filles, c'est sûr ! C'était le moment ou jamais de me faire des chums de gars !

En attendant d'en trouver un, j'avais déjà une armée de maringouins qui me tournaient autour, menaçant de me dévorer tout cru ! Bon, ok, j'étais peut-être un peu parano, mais je n'aimais pas vraiment les insectes.

Au sommet de la butte, il y avait quatre moniteurs. Deux gars et deux filles, ce qui faisait quatre maisons en tout. Ils avaient tous l'air de sortir d'un film d'aventures, avec leurs chapeaux d'explorateurs bien enfoncés sur leurs têtes. En face de chaque moniteur, il y avait un gros carton. Les noms de leurs protégés étaient marqués en grosses lettres noires, ainsi que nos animaux totems.

Je suis allé vers un garçon dans la vingtaine, dont l'allure amérindienne m'inspirait confiance. Il semblait cool avec son collier de perles et sa boucle d'oreille en plume. Il s'est penché pour regarder si mon nom était sur sa liste.

— Quel est ton nom ?

— Je m'appelle Mady.

— Mady… c'est un beau nom, ça !

— Merci !

— Oui ! Tu es bien dans ma maison !

— Super !

— Comme tu peux le voir, ton animal totem a déjà été choisi. Il correspond aux réponses que tu as données dans ton formulaire d'inscription. Je l'ai même choisi personnellement pour toi ! Pendant six semaines, tu seras ainsi une autre personne. Tu t'appelleras désormais… Écureuil agile !

J'étais étonné, car je pensais avoir précisé que je m'étais cassé le poignet en tombant d'un trapèze. Je ne comprenais plus rien. J'étais de loin le gars le moins agile de la terre !

— Tu seras celui qui s'occupera de l'approvisionnement. Tu feras en sorte que l'on ne manque pas de nourriture ni d'eau dans notre maison ! Comme l'écureuil, tu seras toujours prêt et tu éviteras de gaspiller ton énergie pour rien. Tu aideras le groupe à conserver le meilleur de lui-même !

J'étais un peu surpris par son discours.

— Et toi, ton nom, c'est quoi ?

Mon moniteur a souri, ce qui m'a permis de voir une belle rangée de dents blanches.

— Je m'appelle Cerf argenté !

— Wow !

Il m'a demandé de m'asseoir derrière lui et d'attendre un peu. Ça m'a permis d'assister à la rencontre d'Emma avec Faucon courageux, sa monitrice, qui s'est penchée vers mon amie, a mis la main sur son épaule et l'a baptisée Faon charmeur. Je trouvais que ce nom lui allait tellement bien ! C'était chouette, ce camp, jusqu'à présent !

Ça a bientôt été le tour de Stéphanie, qui a été nommée… Mouffette constante ! J'ai éclaté de rire quand j'ai entendu ça ! C'était vraiment plus fort que moi ! Stéphanie, elle, était sous le choc. Elle a demandé ce qu'elle avait bien pu faire pour mériter un nom pareil. La monitrice lui a alors expliqué que tous les animaux avaient de grands pouvoirs. Ils devaient donc tous être respectés, y compris la mouffette ! À bien y penser, je l'aurais plutôt appelée « Mouette enragée ! », mais ce n'était pas moi qui choisissais les noms totems !

L'organisation du camp m'apparaissait un peu mieux. Il y avait en fait deux équipes par groupe : deux équipes de garçons et deux de filles. Chacune d'entre elles occupait une petite maison. Faucon courageux et Cerf argenté étaient nos deux responsables. J'ai été soulagé de voir qu'Édouardo et Steeve étaient tombés dans l'autre groupe de quatre garçons. Ils ne seraient pas trop près de moi, ici, au moins. Par chance, il n'y avait pas toute leur gangue, fiou ! J'étais curieux de savoir quels noms totems on leur avait donnés.

Petite visite de notre maison!
Petite maison = petit lit...
et même pas de toilettes!

Avant le dîner, la première activité a été très étrange. Nous devions construire, avec l'aide du groupe des filles... nos toilettes ! Eh oui, on n'était pas sortis du bois !

Emma me suivait avec une pelle, un petit air de panique sur le visage.

— Tu savais qu'il n'y avait pas de toilettes ici ?

Je lui ai fait ma plus belle baboune.

— Non, sur ma tête d'Écureuil agile ! Et puis, comment ça se fait qu'on n'ait pas de toilettes comme à la halte en bois rond ?

Cerf argenté est intervenu dans notre conversation.

— En venant à Bear Town, vous avez accepté de vous mettre à l'épreuve. Ici, rien n'est facile. On vit comme les Amérindiens d'autrefois ! C'est un retour complet aux sources !

Tu parles de sources, je m'apprêtais à construire des toilettes dans les bois ! Un autre gars qui nous suivait ne semblait pas vraiment partager mon avis. Son nom totem était Grenouille chasseuse... Avec un nom comme ça, on pouvait s'attendre à un comportement bizarre, non ?

Justement, il s'est arrêté et a crié. Ça m'a fait sursauter.

— Hé ! Regardez ! C'est le plus beau spécimen que j'ai jamais vu !

Il admirait un scarabée sur l'écorce d'un arbre. Faucon courageux, qui partageait sa passion pour les insectes, l'a rejoint.

— Ouais, c'est un beau, celui-là ! Prenons-le pour l'étudier tout à l'heure !

En les voyant faire, Stéphanie a haussé le ton :

— J'haïs les bibittes ! C'est dégueulasse ! Vous l'étudierez tous seuls !

Faucon courageux a dit en soupirant :

— Un peu d'entrain, les filles ! Les insectes ont beaucoup à nous apprendre !

Stéphanie avait toujours son air bête.

— Ben, je veux rien savoir !

Cerf argenté s'est enfin arrêté. De loin, on voyait nos deux petites maisons en bois rond.

— Bon, les enfants ! C'est ici que nous allons construire nos toilettes !

Il avait l'air tout content. Je me suis dit que ce n'était sûrement pas la première fois qu'il faisait ça !

— Faon charmeur ?

Emma s'est avancée, prête à creuser le trou.

— Tu auras de l'aide !

Faucon courageux m'a tendu une autre pelle sortie de nulle part.

— Tiens, va aider ton amie !

Cerf argenté a ensuite entraîné les autres un peu plus loin, à la recherche de morceaux de bois pour fabriquer le siège des toilettes. Emma m'a regardé, avec un drôle d'air.

— Mady ! euh... Écureuil agile !

J'ai éclaté de rire tellement c'était ridicule.

— Oui, Faon charmeur ?

— J'en reviens pas ! On est vraiment en train de creuser un trou à caca ?

— Ben ouais...

— Ouache !

— Ben non ! Allez, creuse !

Le premier coup de pelle d'Emma n'était pas trop beau à voir. Je pense même qu'elle n'avait jamais fait ça, la pauvre.

— Ah ! C'est dur ! La terre est toute prise ensemble !

— Il faut que tu donnes un bon coup !

— C'est ce que j'essaie de faire, pardi !

— Ouais, on va être fiers de faire pipi là-dedans, après tous nos efforts !

Emma a éclaté de rire.

— Imagine ta mère, Mady ! Imagine-la ici !

— Oh, elle ne ferait pas long feu, c'est sûr !

— J'suis pas mal certaine que mon père non plus, en fait !

Finalement, on a pelleté sans trouver le temps long, puisque le tout s'est fait dans la bonne humeur. Après un moment, nos deux moniteurs sont revenus avec les autres membres du groupe. Satisfait, Cerf argenté s'est arrêté devant le trou.

— Wow ! Vous avez bien travaillé !

— Ouais ! Et tout ça, avec le sourire !

J'ai aidé Emma à sortir du trou, et mon moniteur m'a tendu la main pour m'en extirper.

— Bien ! Maintenant, nous allons pouvoir assembler les bouts de bois pour le siège des toilettes.

— Écureuil agile et Faon charmeur, vous pouvez vous reposer. Regardez-nous faire.

Emma s'est accroupie sur une grosse roche. Je suis allé m'asseoir à côté d'elle pour regarder la suite. Stéphanie, alias Mouffette constante, chialait un peu, parce qu'elle avait peur des insectes qui pouvaient se cacher dans l'écorce des bouts de bois qui avaient été ramassés. Elle refusait de les gratter avec le petit canif qu'on lui avait donné. Par contre, Grenouille chasseuse avait l'air ravi de le faire.

Présentation de notre équipe!

Il y a quatre filles et quatre garçons dans notre équipe. Les filles dorment dans une petite maison, et nous avons la nôtre juste à côté. Le jour, nous serons un seul et même groupe avec deux moniteurs. C'est plus motivant parce que nous pourrons profiter de l'expérience de tous. Les filles sont notamment plus habiles pour certaines activités, tandis que nous, les gars, nous sommes plus à l'aise pour d'autres. Finalement, je trouve ça le fun d'être ici.

Dans mon groupe, il y a : Grenouille chasseuse, notre maître des insectes ! Ensuite, Corneille moqueuse, un gars de Québec qui m'a paru gentil dès le départ. D'après moi, c'est un joueur de tours, mais je n'en suis pas encore sûr. Le troisième gars, c'est Ours gourmand.

Juste à le regarder, on comprend pourquoi ! Il demande d'ailleurs depuis notre arrivée quand sera la collation. Et le dernier du groupe... eh bien, c'est moi !

Le groupe des filles est de son côté composé de Faon charmeur, mon amie Emma, Mouffette constante, notre fascinante Stéphanie, pauvre elle... Après, il y a Belette chercheuse, une fille avec les cheveux roux comme moi : ça fait du bien de voir un peu de changement ! Je blague ! En tout cas, elle devait être curieuse pour avoir un nom comme ça. Et la dernière, c'est Louve aventureuse ! Avec la quantité de *plasters* collés sur ses genoux, il est facile de comprendre pourquoi ils l'ont appelée comme ça! J'ai aussi constaté que Josée, la nouvelle amie d'Emma qui a fait le trajet avec elle, n'est pas dans la même maison. Dommage, c'est plate pour elles...

De retour au bol des toilettes !

Mon groupe était en train d'enlever l'écorce des morceaux de bois, et les deux moniteurs plantaient de leur côté les bouts obtenus en forme de Y pour former deux extrémités.

Emma s'est penchée vers moi pour me demander :

— Comprends-tu ce qu'ils font, toi ?

— Ben… je pense que oui !

— Ah oui ? On est censés grimper là-dessus pour faire pipi en pleine nuit, tu crois ?

— Ouais, je crois !

— Hum… J'sais pas pourquoi, mais j'suis pas trop convaincue !

J'avais le fou rire.

— J'espère juste qu'on n'aura pas trop d'échardes dans les fesses !

— Ah ! Arrête de niaiser !

Elle m'a donné une tape dans le dos. Cerf argenté nous a alors fait signe d'approcher. Il a sorti un gros bout de corde de la poche de sa veste et nous l'a tendu.

— Bon ! Voilà ! Vous allez attacher le bout de bois pour qu'il reste bien en place et que ça soit bien solide ! Appliquez-vous, parce que si ça brise, vous tomberez dans le trou !

Emma m'a fait un clin d'œil et m'a dit :

— Je suis une championne des nœuds ! Papa m'en a montré plusieurs.

— Comment ça ?

— Ben oui ! C'est un boucher après tout !

— Voyons donc, y'a aucun rapport !

— Ah ! Laisse tomber et viens m'aider !

Victoire ! La toilette sauvage pique les fesses, finalement...

Notre monitrice a mis la touche finale à notre œuvre en posant juste à côté un rouleau de papier sur une petite branche d'arbre.

— Voilà ! Quand vous aurez terminé votre affaire... enfin, vous voyez ce que je veux dire, vous mettrez une pelletée de cendres dessus ! Vous voyez la chaudière juste ici ? Bon ! Vous recouvrez le tout avec son contenu pour éviter les odeurs !

Stéphanie s'est exclamée :

— Ouache ! C'est dégueulasse !

Corneille moqueuse, le gars de Québec, en a rajouté :

— Qu'est-ce qui arrive si quelqu'un beurre le tronc d'arbre où on s'assoit ?

Ah, ça, ce n'était franchement pas cool ! Cerf argenté a malgré tout continué comme si de rien n'était.

— Il l'essuie, c'est tout !

— Ah !

Corneille moqueuse ne semblait pas avoir dit son dernier mot. Il semblait même plutôt baveux. Bref ! Faucon courageux a brisé le silence en premier.

— Est-ce qu'il y a quelqu'un qui désire l'essayer, ou alors on va visiter les maisons ?

Personne n'a répondu, alors j'ai levé la main.

— Moi, je crois que je vais y aller !

— Oh, c'est bien ! Tu nous diras comment tu auras trouvé ça, ok ? En attendant, on va se rendre là-bas, d'accord ?

— Parfait !

Le petit groupe s'est levé, et Corneille moqueuse s'est retourné vers moi pour lancer une dernière blague.

— Eh ! Fais attention aux ours ! Y'en a peut-être dans le bois ! Les culottes baissées, ça va mal pour courir !

Je lui ai fait un air faussement effrayé. Un ours... Il n'y avait sûrement pas d'ours ici. Ils n'auraient pas fait venir des enfants de la ville, pour ensuite les mettre dans le bois avec des bêtes affamées, quand même, non ? Impossible.

Ça a été difficile de grimper sur les deux rondins qui formaient le siège des toilettes naturelles. Les culottes aux chevilles... c'était, il faut le dire, un peu piquant pour les fesses ! Mais bon, on ne peut pas tout avoir ! Une fois dessus, ce n'était pas trop évident non plus. Il ne fallait pas se laisser distraire par tous les bruits de la forêt. Moi qui avais l'habitude d'être seul dans la salle de bains, j'avais l'impression que tout le monde me regardait. J'ai quand même réussi à m'en sortir, heureusement. Par contre, le tronc sur lequel j'étais assis était pas mal raide, c'est clair !

Visite des maisons ! Six semaines là-dedans ?

Après les toilettes, je me suis retrouvé avec les autres gars et Cerf argenté devant le porche de notre magnifique remise en bois rond ! Depuis que j'étais revenu, Ours gourmand n'avait pas arrêté de se plaindre.

— J'ai faim !

Cerf argenté faisait semblant de ne pas l'entendre.

— Voilà, les gars ! Entrez, je vous suis !

Corneille moqueuse s'est dépêché de m'agacer un peu.

— Pis ? Pas trop d'ours ?

— Voyons donc ! Y'a pas d'ours ici ! Tu capotes !

Cerf argenté a eu un petit sourire qui m'a laissé perplexe.

— Wow ! C'est pas très grand !

Grenouille chasseuse venait de se rendre compte qu'il ne pouvait pas amener toutes les bibittes du bois dans notre maison. Il a déposé son sac et a sauté sur un lit, au fond de la pièce. Moi, j'ai tout de suite choisi celui qui se trouvait près de la porte. Comme ça, si quelqu'un tentait de rentrer le soir, je le saurais. Et si j'avais envie, en pleine nuit, d'aller m'asseoir sur des troncs d'arbres, je ne tomberais pas sur les bagages des autres.

Il y avait d'ailleurs cinq lits, ce qui voulait dire que Cerf argenté dormirait avec nous. C'était rassurant, car il avait l'air d'avoir beaucoup d'expérience. Après tout, c'était un Amérindien… il en avait donc vu d'autres ! Un vrai gars des bois, quoi !

Notre moniteur nous a donné du temps pour nous installer. Il a regardé sa montre boussole en disant :

— Je vous laisse vingt minutes ! Nous irons ensuite retrouver les filles, puis on ira voir le lac Kamichtouc !

Ours gourmand a semblé intéressé.

— On va pêcher ? Moi j'aime ça le poisson !

J'ai souri... Ce gars pensait toujours à manger, c'était vraiment une obsession !

— Il y a beaucoup de poissons dans ce lac mais, pour le moment, nous allons nous contenter de visiter le camp au complet, d'accord ? Vous avez pas mal de choses à voir pour vous familiariser avec l'endroit. C'est important, car le site n'est pas éclairé la nuit. Vous devrez bien le connaître pour pouvoir vous y aventurer avec votre lampe torche.

J'étais un brin stressé. Je n'avais en effet jamais marché dans les bois la nuit et, en plus, je n'étais pas un très bon nageur. Donc...

— Est-ce qu'on va se baigner ?

— Pas tout de suite.

Fiou ! J'étais soulagé... une chose à la fois, c'était ce qu'il me fallait, car tout ici était vraiment différent de mon quotidien à la maison.

— Bon ! Y a-t-il d'autres questions ?

Personne n'a répondu.

— Ok ! Dans vingt minutes, je reviens, et on va au lac ! À plus !

Je me suis assis sur mon lit... de paille ! Non, j'exagère un peu, mais il n'avait pas l'air confortable. À côté de moi, Corneille moqueuse s'est installé rapidement. Il a sauté sur son lit et m'a regardé.

— Wow ! Pas sûr qu'on va bien dormir là-dessus !

— Ouais... c'est ce que je me disais, justement...

— T'as l'air découragé ? Voyons ! Les camps, c'est comme ça ! Mon père m'avait prévenu avant que je parte ! Il paraît que quand tu reviens à la maison, t'en as pour un mois à t'en remettre. Tu te bourres de bonbons tellement tout ça t'a manqué ! Le garçon d'un de ses amis a même maigri de dix kilos! Tu te rends compte ?

Il ne me rassurait pas pantoute !

— Ah ouais...

Ours gourmand a levé la tête.

— Qu'est-ce que tu veux dire ? On donne pas suffisamment à manger, ici ?

J'ai tout à coup vu de l'anxiété sur son visage potelé. Le pauvre, ses parents l'avaient mis au régime sans lui en parler ! Et Corneille moqueuse n'a pas résisté à le niaiser un peu plus !

— Qu'est-ce que tu crois, Ourson… Ourson quoi, déjà ?

— Ours gourmand !

— Bon ! Tu penses qu'ici, c'est un resto cinq étoiles ? Je ne serais pas surpris qu'on nous serve des sauterelles pour le souper !

Ours gourmand l'a regardé, horrifié. J'avais envie de rire, mais ma mère m'avait toujours dit de respecter les gens que je ne connaissais pas.

Grenouille chasseuse s'est exclamé à ma place.

— Ça va pas, non ? Manger des sauterelles ? C'est n'importe quoi !

Corneille moqueuse s'est tourné vers lui très sérieusement, histoire qu'il gobe bien son histoire.

— Mon père connaît un gars dont le fils est venu ici l'an dernier. Et il paraît qu'ils en ont mangé !

Soudain, le silence a été si intense qu'on aurait pu entendre un criquet sauter... jusqu'à ce que Corneille moqueuse se lève pour vider son sac.

— Bon ! Ça va faire, la parlotte ! Il faut vider ça si on veut s'installer !

Voir les autres gars s'imaginer manger des sauterelles, c'était encore mieux que le cinéma ! Finalement, j'ai pensé que j'allais bien m'entendre avec ce farceur.

En passant, notre petite maison est bien simple. Nous avons tous des petits lits en troncs d'arbres qui ont dû survivre au passage de plusieurs, puisque des noms sont gravés dessus. On a tous une petite table avec un tiroir. J'ai même un super endroit pour écrire le soir, ce qui est ultra-important ! Il y a aussi un gros coffre au pied de chaque lit. On y met nos vêtements, et un cadenas est fourni pour que personne ne joue dedans.

Mais je retourne à mon histoire. Une fois le tout bien rangé, c'était pas si mal. Je me demandais comment Emma se débrouillait. J'étais sûr que les filles, elles, ne parlaient pas de grenouilles ou de sauterelles ! Cerf argenté est arrivé, mettant un terme à mes rêveries.

— Bon ! Votre job est faite ?

On a tous hoché la tête.

Alors, sortez avec moi, on s'en va rejoindre les filles au lac !

La légende du lac Kamichtouc !

En marchant avec notre moniteur, Corneille moqueuse lui a demandé :

— Tu es de quelle nationalité, Cerf argenté ?

— Je suis Huron.

— Ah !

— En tout cas, tu ressembles aux Amérindiens des films de cow-boys !

— C'est le fun ! Est-ce que je te fais peur ?

— Oh non ! Tu inspires le respect.

J'ai laissé échapper un rire. Ce gars disait vraiment tout ce qu'il pensait. J'ai décidé de m'intégrer à la conversation.

— Tu as toujours grandi à la manière huronne ?

— Oui ! C'est ma grand-mère qui m'a élevé dans le savoir des anciens !

— Ouais... J'peux pas dire que ma grand-mère Thérèse m'ait transmis un gros savoir mais, grâce à elle, je sais au moins comment faire du pâté chinois !

Cerf argenté a éclaté de rire.

— Si vous voulez, je pourrais vous apprendre certaines choses, ok ?

En signe d'approbation, tout le groupe a crié un gros Oui. J'étais content d'avoir été choisi dans son équipe.

— Quand tout le monde sera réuni, je vais vous parler de la légende du lac !

Intéressé, Grenouille chasseuse s'est approché.

— Qu'est-ce qu'il y a dans ce lac ? Un monstre ?

Corneille moqueuse a éclaté de rire.

— Non ! Une grosse bibitte gluante, plutôt !

— Ah ! Arrête donc !

Grenouille chasseuse lui a lancé un regard frustré. De toute évidence, il était susceptible ! Cerf argenté lui a coupé la parole avant qu'il ajoute quoi que ce soit.

— C'est la légende de Sérénio... l'esprit d'une belle jeune femme ayant vécu sur les rives du lac. Sa vie a été bouleversée par l'arrivée des hommes blancs.

La bouche grande ouverte, nous écoutions tous Cerf argenté...

— Et ?

Ours gourmand n'aimait pas seulement manger, il était aussi très curieux !

— La suite, je vais vous la raconter tout à l'heure, quand tout le groupe sera là.

Et ça n'a pas été trop long ! On s'est tous rassemblés sur la rive. Emma s'est approchée pour être près de moi. Bien entendu, Stéphanie a marmonné, mais juste avant qu'elle ne prenne l'autre place, Corneille moqueuse l'a battue de vitesse et s'est assis. Déçue, elle est allée à côté d'Ours gourmand, qui avait l'air ravi.

— Bon, tout le monde est là ! On peut commencer !

Faucon courageux s'est installée confortablement à côté de Cerf argenté. Elle lui a fait un clin d'œil complice, comme Stéphanie aimait bien m'en faire. À ce moment-là, je me suis demandé si quelque chose se passait entre eux... Eh oui, j'étais curieux même si ce n'étaient pas mes affaires ! Cerf argenté a commencé à parler :

— Bon ! Laissez-moi vous présenter le magnifique lac Kamichtouc ! Il y a au moins deux cents ans, une très belle jeune femme vivait ici sur les rives avec sa famille.

Belette chercheuse lui a coupé la parole.

— Une Amérindienne ?

— Oui ! Une belle Amérindienne !

Il a regardé de nouveau Faucon courageux et lui a rendu son clin d'œil. Hum... « Y a pas à dire, ces deux-là s'aiment bien ! », me suis-je dit.

— Un jour, des hommes blancs sont venus leur offrir divers objets en échange de peaux d'animaux. Mais le père de Sérénio et les autres hommes de la tribu connaissaient les habitudes des hommes blancs. Personne n'a voulu faire d'échanges. Vous imaginez ce qui s'est passé ?

J'écoutais attentivement l'histoire.

— Sur les rives, une véritable bagarre a éclaté. Malgré leurs grandes connaissances en matière de bataille, la tribu n'a pas longtemps résisté aux coups de feu des hommes blancs, les balles atteignant leurs cibles plus rapidement que les flèches. Et malgré leur bravoure, tous les hommes de la tribu ont été tués... y compris le promis de Sérénio.

— Son promis ? a demandé Louve aventureuse, la reine du *plaster*.

— Oui, celui qu'elle devait épouser quelques jours plus tard... La légende raconte que Sérénio a été la seule à s'enfuir dans les bois pendant l'attaque. Lorsqu'elle est revenue, elle a trouvé les hommes blancs dans les maisons de la tribu. Elle s'est alors mise en colère, comme le tonnerre sur la plaine, et elle leur a jeté un sort ! Sérénio était en effet une femme chamane. Son pouvoir et son savoir lui avaient valu une grande réputation à travers les plaines et les montagnes. Pour tout dire, la seule pensée de lui faire du mal pouvait vous rendre malade et même aveugle ! Enfin, c'était ce que tout le monde disait !

— J'espère qu'elle leur a fait manger leurs bas ! a dit Mouffette constante.

Cerf argenté a continué, un petit sourire en coin :

— Ç'a été pire que ça... Sérénio s'est cachée dans les bois. Elle a pleuré son futur époux une journée entière. Une grande tristesse a alors envahi la vallée ! Du brouillard s'est répandu sur le lac. Les hommes blancs n'y comprenaient plus rien. Il était maintenant impossible de faire la différence entre la terre et la rive ! Sérénio a ensuite fait appel à son animal totem et lui a ordonné de punir l'envahisseur. Ils devaient tous subir le même sort que sa tribu ! Une autre nuit a passé… puis une autre… et encore une autre… Sérénio se cachait toujours près du camp adverse. Un matin, un grand cri a résonné dans la vallée. Et on dit qu'on l'a entendu jusqu'à la contrée voisine, tellement il était fort et désespéré !

Emma s'est collée contre moi. Oups... je veux dire Faon charmeur !

— Figurez-vous que dans les tipis des Amérindiens, là où les hommes blancs avaient pris leurs aises, le mauvais sort de Sérénio avait fonctionné. Une maladie affreuse s'était abattue sur eux, tel le courroux d'un Dieu malfaisant ! Ils mouraient tous les uns après les autres. La légende dit que Sérénio est sortie de sa cachette quand il ne restait plus qu'un survivant et qu'elle est allée lui avouer la vérité. Son mauvais sort n'était pas motivé par la vengeance, mais par la souffrance d'avoir perdu sa famille et ses amis. Et le dernier homme blanc est mort sous ses yeux...

— Et que s'est-il passé ensuite ?

J'étais vraiment curieux de savoir comment cette légende finissait. Après tout, il fallait circuler la nuit pour aller aux toilettes, par ici ! Brrrrr ! J'étais un brin nerveux et espérais que mon moniteur n'allait pas annoncer que le lac était hanté !

— Ensuite... Sérénio a fait brûler tous les corps pour libérer les âmes des morts et leur permettre de quitter la terre. Elle a vécu toute sa vie sur les rives du lac, à l'endroit même où nous nous trouvons. À sa mort, après avoir vécu en ermite, son âme est restée prisonnière des lieux. On dit qu'elle hante le lac et les alentours... Chaque début de camp, elle observe l'âme des enfants qui viennent la visiter, pour punir ceux qui n'ont pas de bonnes intentions.

Corneille moqueuse a souri bêtement.

— Voyons donc ! Je ne crois pas aux fantômes, moi !

Faucon courageux lui a coupé la parole.

— Tu devrais peut-être ! Chaque année, des jeunes nous disent l'avoir vue !

Corneille moqueuse, pris à son propre piège, n'a rien ajouté. Cerf argenté a continué.

— Il y a même des gens qui disent avoir senti une main agripper leur jambe sous l'eau, alors qu'ils se baignaient dans le lac !

Je n'étais vraiment pas gros dans mes shorts ! Et rien qu'à voir Faon charmeur, je n'étais pas tout seul dans ce cas !

— Alors, voilà... il paraît qu'elle porte une tunique à franges blanches et que ses longs cheveux noirs flottent au vent. On dit aussi qu'elle peut donner des conseils et apparaître à ceux qui sont en danger. Voilà, vous êtes tous au courant.

Le silence est tombé sur le petit groupe. Je commençais à me demander ce que je faisais ici, dans les bois, avec cette bande de fous enragés ! Mais c'était quoi, cette histoire de fantôme ? Moi qui avais déjà du mal à aller aux toilettes, tout seul, la nuit, qu'est-ce que j'allais faire ?

Cerf argenté, lui, a continué comme si de rien n'était :

— Bon ! Est-ce qu'il y en a parmi vous qui ont faim ? Parce qu'il est déjà midi !

Petit dîner sandwich! Faon charmeur et moi!

Avec toute cette histoire, je commençais à avoir un petit creux. Faon charmeur est allée me chercher un sandwich et m'a rejoint à la table de pique-nique.

— Tiens, c'est pour toi !

— Merci ! Il fait vraiment chaud aujourd'hui, trouves-tu ?

— Mets-en !

Mouffette constante est arrivée à ce moment-là.

— Est-ce que je peux m'asseoir avec vous ?

— Ouais ! Mais mets-toi à côté de Faon charmeur parce que Corneille moqueuse va venir.

— Ah...

Elle s'est installée, à contrecœur, de l'autre côté de la table. Ouf ! J'avais eu chaud !

— Pas mal stressante, la légende du lac, non ?

— J'sais pas...

Faon charmeur a avalé une grosse bouchée de son sandwich et a parlé la bouche pleine.

— En tout cas ! J'suis pas certaine que je vais sortir la nuit pour aller à la toilette !

— T'as ben raison !

Mouffette constante a changé de sujet.

— Paraît que cet après-midi, on va se promener en canot, pis qu'ensuite, y'a une partie de pêche sur la rive !

Elle a montré du doigt une espèce de petite tache beige qui semblait être une plage de sable.

— Ah oui ? Qui t'a dit ça ?

Faon charmeur l'a prise de vitesse.

— C'est Faucon courageux ! Ils vont nous distribuer tantôt du matériel de pêche ! As-tu déjà pêché, toi, Mady ?

— Non.

Mouffette constante en a profité pour se vanter un peu.

— Oh ! Moi, je suis super douée ! Vous allez voir ! Mon père m'emmène chaque année à la pêche à la truite ! C'est super facile !

Faon charmeur et moi étions bien contents de le savoir. J'en ai même rajouté, c'était plus fort que moi !

— Cool ! Tu vas donc pouvoir accrocher nos vers de terre ! Nous autres, on n'aime pas ça, hein ?

Le regard taquin, Faon charmeur a fait oui de la tête.

— Ouais, c'est vrai ! Tant mieux si, toi, ça te dérange pas pantoute !

Mouffette constante n'a pas compris qu'on la niaisait.

— Ok ! Ça ne me dérange pas ! Je peux m'asseoir avec vous dans le canot, alors ?

Je venais de comprendre sa stratégie ! Elle voulait seulement être avec moi dans le bateau, même si pour cela il fallait qu'elle fasse des affaires dégueu !

— J'pense que je vais aller me chercher du jus.

Je me suis levé et je suis rentré dans la grande maison centrale. J'avais du mal à contrôler ma frustration. Cette Mouffette constante était un véritable cauchemar, impossible de s'en défaire !

À l'intérieur, j'ai rencontré la cuisinière, qui replaçait des sandwichs dans les cabarets pour les autres groupes. Celui d'Édouardo et de Steeve arrivait pour manger à son tour. Je ne les avais pas encore croisés et j'avais peur qu'ils recommencent à me tanner. La cuisinière, qui a remarqué mon air contrarié, a demandé :

— Qu'est-ce qu'il y a ? Les sandwichs sont mauvais ?

— Oh, non ! Ils sont même écœurants ! Mais il y a un gars que j'aime pas qui vient d'arriver.

La dame a été soulagée.

— Fiou ! C'est ma première journée ici, alors je ne voudrais pas que mes sandwichs rendent tout le monde malade !

Je l'ai rassurée, tout en gardant un œil sur la tornade qui approchait. Je ne parle pas de sa coupe de cheveux, mais de sa coiffure. On aurait dit qu'il s'était mis le pot de gel entier sur la tête, pour que ses cheveux soient aussi raides que des tiges de métal.

Ça lui a pris moins de trente secondes pour me repérer. Enfin, c'est sûr qu'une tête rousse, ce n'est pas dur à remarquer !

— Ah, ben ! Checke ça, si c'est pas notre Mady !

Finalement, il valait peut-être mieux le rencontrer ici que seul dans le bois, à côté des toilettes naturelles.

— Ben oui ! Qu'est-ce que tu veux ? T'es pas tout seul ici ! Va falloir que tu t'habitues !

Je n'avais rien trouvé de mieux à dire… pitoyable !

— T'en fais pas ! J'suis pas mal au courant ! Fait que… quel nom stupide ils t'ont donné ? Renard empoté ?

Il me niaisait avec Steeve. Et j'avais du mal à résister à l'envie de lui donner une bonne taloche.

— Tu dis rien ? Alors ça doit être ça !

J'ai choisi de ne pas m'ostiner, et il m'a finalement laissé tranquille. J'aurais bien aimé pouvoir rester assez longtemps pour pouvoir entendre son nom totem. Ç'aurait était le fun de connaître son animal, à cet épais !

Quand je suis revenu à la table, Faon charmeur discutait avec Corneille moqueuse. Y'a pas à dire, je me suis senti un peu drôle. J'aimais bien ce gars, mais je ne voulais pas qu'il prenne ma place aux côtés d'Emma. Je me suis donc rapidement intégré à la conversation.

— Mouffette constante n'est plus là ?

Emma m'a fait des gros yeux. C'était évident que je la dérangeais. Elle m'a pointé la direction des toilettes.

— Ah ! Ok ! Excusez-moi !

Corneille moqueuse a tiré la manche de mon chandail.

— J'étais en train d'expliquer à Faon charmeur notre stratégie d'attaque !

— Notre quoi ?

— Notre super plan d'attaque !

— Je pense que j'en ai manqué un bout ! Qu'est-ce qui s'est passé en cinq minutes ?

— C'est Faucon courageux ! Elle est venue nous dire qu'on ferait la course en canot. Les premiers sur la rive ne ramasseront pas le bois pour le feu ce soir ! Seule la dernière équipe va le faire, les autres auront du temps libre !

— Ah ! Je comprends ! Contre qui on va courser, au juste ?

— L'autre maison qui vient juste d'arriver !

Ma tête a résonné... Ah non ! Pas Édouardo !

— Qu'est-ce que t'as ? T'en fais une tête, mon vieux !

— Ben disons que dans cette autre équipe, y'a quelqu'un, ou plutôt deux personnes, que Faon charmeur et moi on aimerait éviter, tu vois.

Corneille moqueuse s'intéressait de plus en plus à la situation.

— C'est quoi le trouble ?

Emma a immédiatement compris. Elle a croisé ses bras en poussant un soupir.

— On veut pas voir ces deux gars, parce qu'à l'école, ils arrêtent pas de nous achaler !

Emma avait parlé à ma place. Corneille moqueuse a souri en donnant des petits coups avec ses doigts sur la table de pique-nique. Il venait d'avoir une idée de génie !

— Montre-moi qui c'est !

Il venait à peine de prononcer ces mots qu'Édouardo est sorti avec son assiette pleine de nourriture de la grande maison. Il m'a jeté un coup d'œil rapide et a fait un petit sourire en coin.

— Tu vois, c'est lui !

— Celui avec le pot de gel coiffant sur la tête ?

— Ouais... si on veut !

Emma a tourné son regard ailleurs. Elle détestait les confrontations et, comme moi, elle n'avait pas envie d'avoir du trouble. La vie au camp avait plutôt bien commencé depuis notre arrivée, on voulait que ça continue. Corneille moqueuse s'est alors penché comme pour comploter.

— J'peux vous jurer que ce sera pas notre canot qui va ramasser le bois ce soir ! Ah ! J'aime ça, être futé !

Je n'avais aucune idée de son plan, mais il avait l'air sûr de son coup. Je n'aurais peut-être pas à ramasser du bois sous les yeux de mon pire ennemi.

— T'as l'air certain !

— Ben ouais… j'ai plus d'un tour dans mon sac, vous savez !

Il me semblait bien avoir déjà entendu ça dans la bouche d'Emma. Finalement, Édouardo l'avait tellement achalée qu'elle était rentrée dans son trou. Mais Corneille moqueuse, lui, semblait pas mal plus coriace que nous.

— Vous allez voir ! Je m'en charge ! Après ce camp de vacances, il vous causera plus de trouble ! Je vais les rendre dingues, et tout ça sans qu'ils s'en rendent compte !

Mouffette constante revenait au même moment de sa petite escapade dans les bois.

— Pis ? a demandé Faon charmeur.

— Pis, quoi ?

— Ça pique-tu les fesses ?

Le groupe a éclaté de rire à cause de la remarque d'Emma et de son air nerveux.

La course de canots!
Tant pis pour la technique!
Je rame, pis j'avance!

Les quatre canots réservés pour notre groupe étaient tous alignés sur la rive. Cerf argenté s'est dépêché de constituer les équipes. Il a distribué les cannes à pêche et les accessoires dont on avait besoin. Les deux autres moniteurs de l'autre maison étaient là, eux aussi, mais j'avais déjà oublié leurs totems. C'était fou la quantité de noms qu'il fallait retenir ! Mais tout ce qui m'intéressait, en fait, c'était les noms totems de Steeve et d'Édouardo.

— Bon ! J'espère que vous allez avoir du fun ! Soyez prudents ! Un canot, ce n'est pas un pédalo !

Quelques personnes ont ri... et je me suis alors rendu compte que Corneille moqueuse n'était pas là ! Où était-il passé ? La course allait bientôt commencer. Emma m'a donné la rame et a poussé le canot sur l'eau. J'ai aidé les filles à charger le matériel.

— Est-ce que tout le monde est prêt ? Quelqu'un a besoin d'aide ?

Personne n'a répondu et j'ai vu revenir Corneille moqueuse en courant. Lorsque le moniteur l'a regardé d'un air surpris, il s'est contenté de mimer une envie d'uriner.

Une fois à l'intérieur du canot, il nous a avoué son crime.

— Un ! Deux ! Trois ! Partez !

J'ai à peine eu le temps de voir Steeve et Édouardo assis dans leur embarcation, qu'elle s'est renversée ! C'était plate pour les autres membres de leur groupe. En colère, Édouardo s'est relevé, totalement trempé. Mais ils n'avaient pas beaucoup de temps pour retourner au camp se changer: Si son groupe faisait ce choix, ils perdraient l'activité, c'était sûr. Corneille moqueuse a battu des mains pendant que notre canot avançait quelques mètres plus loin.

Louve aventureuse, qui ignorait de quoi on parlait, ramait comme une folle. Elle prenait la course vraiment à cœur.

— Je leur ai fait un tour à ma façon ! a expliqué Corneille.

— De quel genre ?

— J'ai profité que tout le monde regardait ailleurs pour neutraliser ces deux types avant qu'ils le fassent !

— Qu'est-ce que tu veux dire ?

Les filles et moi étions très attentifs.

— Je les ai surpris en train de comploter. Ils avaient prévu de nous faire chavirer sur le lac !

— Quoi ?

— Oui, mon vieux !

— Mais c'est bien plus dangereux ! a dit Mouffette constante.

— C'est bien pour ça que j'ai décidé d'agir !

— Mais qu'est-ce que t'as fait pour que le bateau se renverse comme ça ?

— Il y a tellement de matériel dans nos canots que le fond est complètement caché. Mais dans ce fond, il y a un petit bouchon pour faire couler l'eau qui s'accumule. Alors, à la dernière minute, quand personne ne me regardait, je l'ai enlevé pour que l'eau rentre dans le bateau. Et le tour était joué ! Le canot s'est retourné dès qu'ils se sont assis !

— Wow ! Ok !

J'étais vraiment étonné de son esprit rusé ! Je n'aurais jamais pensé faire un tel coup ! Mais bon, le principal, c'est que ça les avait ralentis et que j'avais la paix pour un bout !

J'ai ramé fort pour atteindre la rive dans les premiers. Nous étions en deuxième position. Devant nous, il y avait une équipe d'une autre maison. Je ne les connaissais pas encore, mais c'était une question de temps. Ici, c'était vraiment plus facile de se faire des amis. Les occasions de faire des choses en équipe étaient nombreuses et cela nous rapprochait rapidement !

— Je te remercie de t'être occupé de ça !

Corneille moqueuse m'a regardé avec un air malin. C'était un gars blondinet avec des taches de rousseur sur le nez et les joues. Un vrai ange, au premier abord. On ne pouvait sûrement pas penser qu'il était un spécialiste des mauvais coups !

— Ça me fait plaisir !

Emma a éclaté de rire. Louve aventureuse, qui n'avait toujours pas compris, a relevé la tête en demandant :

— Qu'est-ce qu'il y a ?

— Ah ! Rien, t'en fais pas.

Corneille moqueuse faisait son innocent. Ça m'a fait plaisir de savoir que quelqu'un prenait des risques pour nous défendre, Emma et moi.

On a finalement terminé deuxièmes sous les encouragements de nos deux moniteurs, qui s'étaient rendus sur la rive en petit bateau à moteur. Il était temps qu'on arrive, j'étais brûlé.

— Bravo, la gangue !

Faucon courageux nous a tapé dans les mains.

— Félicitations ! Vous ne ramasserez pas le bois ce soir !

J'étais magané, mais ravi !

— Et toi, Faon charmeur ? Comment as-tu trouvé ta course ?

Emma s'est appuyée sur mon épaule et a soupiré.

— Intense ! Je pensais pas que ce serait si difficile !

Plus loin, l'équipe d'Édouardo ramait fort pour rejoindre la rive.

Les moniteurs nous ont installés dans un endroit qui était au-dessus du lac. C'était vraiment le paradis sur terre !

Une partie de pêche abracadabrante !

L'équipe formée de Grenouille chasseuse et d'Ours gourmand s'est assise à côté de nous. Ils n'étaient que deux dans leur canot à cause du poids d'Ours gourmand. Les autres n'étaient pas bien loin, mais ils étaient quand même à une bonne distance de nous. Je me suis penché pour voir ce qu'il y avait dans le coffre à pêche.

À l'intérieur, il y avait toutes sortes de petits appâts. Mais on nous avait conseillé les bons vieux vers de terre. Mouffette constante est venue vers moi.

— Tu veux que je t'aide ?

— Je sais pas… non, ce sera pas nécessaire.

— Ah ? Allez ! T'as dit tantôt que t'aimais pas mettre des vers de terre sur l'hameçon !

— Ouais… je sais, mais je préférerais me débrouiller tout seul !

Corneille moqueuse était en train de mettre les vers de terre sur la canne de Faon charmeur. Je n'avais pas envie qu'Emma le trouve mieux que moi, même si ça avait déjà l'air d'être le cas. Stéphanie a insisté.

— Allez ! Donne-moi ta canne, je vais le faire !

— Non !

— Allez !

— Non ! Arrêtes-tu ?

J'en avais assez d'être pris pour un poche. J'ai plongé la main dans le pot de vers. Avec un air de dégoût, j'en ai attrapé un et je l'ai embroché !

Choquée, Stéphanie s'est retournée.

— Je pensais que tu voulais que je t'aide !

— C'est pas la peine ! Je me débrouille très bien tout seul !

— Hum...

À ma droite, Grenouille chasseuse était à son affaire. Ce gars était fasciné par les insectes et les animaux sans colonne. Les invertébrés, du petit nom qu'il leur donnait. Il était déjà en train de décortiquer un ver sur son coffre à pêche sous les yeux horrifiés d'Ours gourmand.

— Dire qu'il y a du monde qui mange ces trucs !

Grenouille chasseuse a souri, découvrant une belle rangée de dents brochées comme Mouffette constante. Satisfait, il s'est levé, la casquette de travers et les genoux pleins de bouette.

— C'était un beau spécimen ! Maintenant, j'espère qu'il m'en fera sortir un encore plus beau de l'eau !

Ce gars était vraiment bizarre. J'ai ensuite regardé Corneille moqueuse, qui aidait Faon charmeur à lancer sa ligne à l'eau. Ça m'a mis de mauvaise humeur. Le canot d'Édouardo est arrivé sur la rive à ce moment-là.

— Eh ! Écureuil agile ?

Corneille moqueuse m'appelait.

— Quoi ?

— Veux-tu que je t'aide à lancer ta ligne à l'eau ?

— Ben… lance la tienne et je vais faire comme toi, ok ? Ç'a beau être la première fois que je pêche, j'suis quand même pas nono !

— Ok ! Je voulais juste t'aider, mon vieux !

— Je m'excuse, Corneille ! J'voulais pas être bête !

— C'est correct !

Il a lancé sa ligne, et je l'ai imité assez bien, merci ! J'étais content, il ne restait plus qu'aux poissons à mordre ! Je ne savais pas si ça allait être long, mais un grand calme régnait sur le lac.

— J'espère que ça va mordre !

Corneille a souri en accrochant un autre ver à son hameçon.

— C'est certain ! Regarde, mon ver s'est fait manger sans que je m'en aperçoive ! Ils sont futés, les poissons du camp !

J'ai éclaté de rire et Emma aussi. Il était évident qu'elle aimait beaucoup Corneille moqueuse... Je crois que ce gars avait vraiment quelque chose d'attachant.

— T'es drôle, toi ! Ouais... ils ont l'air futé, comme tu dis !

— Eh ! Regardez !

Stéphanie était vraiment bonne à la pêche. Elle s'était installée près d'une branche d'arbre pour lancer sa ligne et ça avait été efficace. Elle a sorti de l'eau une superbe truite arc-en-ciel.

— Wow !

Grenouille chasseuse était tout excité.

— Je veux être le premier à la disséquer !

Mouffette constante l'a regardé méchamment.

— C'est pas un animal de laboratoire ! C'est dégueulasse, la façon dont tu dis ça !

— Allez ! J'adore découvrir des nouvelles choses ! Tu me laisseras faire le sale boulot, ok ?

Elle a accepté, mais a murmuré quelque chose que je n'ai pas réussi à entendre.

— Mady ?

Je me suis retourné. Il était interdit d'utiliser les vrais noms, mais le mal était fait. Corneille moqueuse s'est retourné en riant.

— Tu parles d'un drôle de nom ! Hé! Tu dois te faire agacer à l'école, toi !

J'ai bouffé des yeux Mouffette constante et me suis retourné lentement vers le lac pour me calmer. Faon charmeur m'a fait un signe qui voulait dire « laisse tomber ». Corneille moqueuse, qui ne voulait en fait pas rire de moi, m'a donné une petite tape sur l'épaule.

— Il est cool, ton nom, man ! T'en fais pas !

— Pis toi ? C'est quoi, le tien ?

— Max !

Ma mère n'aurait pas pu avoir une idée semblable pour moi ?

— C'est cool !

— Merci !

Emma, qui nous regardait depuis un moment, a souri.

— Ah ! Vous êtes beaux à voir, les gars !

Elle nous niaisait, c'était certain !

— Ben là !

Corneille moqueuse a relancé sa ligne dans le lac. On est restés comme ça un bon moment. J'ai jeté un coup d'œil plus loin, histoire de voir si Édouardo et Steeve étaient proches. Heureusement, ils étaient loin de nous. Mais les paroles de Max ont résonné dans ma tête. Ils avaient décidé de nous faire chavirer ! J'avais vraiment un ange gardien qui me protégeait ici !

Les poissons semblaient plus intéressés à grignoter mon hameçon qu'à le mordre. J'ai donc remonté ma ligne, et... je n'avais plus de ver ! Il avait disparu ! Corneille moqueuse a ri.

— C'est sûr que ça va mieux de pêcher avec un ver !

— Ah ! Très drôle, le comique !

Je me suis penché vers la boîte pour embrocher un plus gros appât. C'était tellement « ouache » !

— Bon ! J'espère que cette fois-ci, c'est la bonne !

J'ai pris mon élan, légèrement sur le côté. Pis, il est arrivé quelque chose de spécial. Je regardais vers le lac et je tirais ma ligne qui était coincée. Et tout à coup, j'ai entendu un cri.

— Aïe! Arrête de tirer !

Grenouille chasseuse avait mon hameçon planté dans son oreille gauche ! J'ai lancé ma canne à pêche par terre pour l'aider, mais cela lui a fait encore plus mal.

— Arrête !

J'étais sous le choc ! Comment j'avais pu faire ça ? Moi qui voulais que mon groupe passe inaperçu, c'était vraiment raté ! Corneille moqueuse a eu le réflexe de couper le fil de la canne. Grenouille chasseuse pleurait, alertant presque tout le monde sur la rive.

— Tiens bon ! Je vais enlever ça !

Corneille m'a arrêté.

— Non ! Tu vas l'enfoncer davantage !

La pointe fourchue de l'hameçon était à demi entrée dans le creux de l'oreille et il était impossible de la retirer. Cerf argenté est arrivé en courant.

— Que s'est-il passé ?

J'étais tellement désolé que j'en avais les larmes aux yeux. Emma m'a rassuré en mettant une main sur mon épaule. Ce qui a encore fait marmonner Stéphanie.

— Je lui avais bien dit, que je pouvais l'aider avec sa ligne !

Tout le monde s'est retourné pour me défendre. Cerf argenté a constaté les dégâts et a sorti de sa poche une paire de pinces. Lorsque Grenouille l'a vue, il a failli s'évanouir. Je crois qu'il a pensé que Cerf argenté allait lui couper l'oreille !

— Ne t'inquiète pas, mon vieux ! Je vais simplement couper le bout de l'hameçon qui dépasse ! Tu vas sentir une pression, mais ensuite, je vais pouvoir l'enlever, d'accord ?

Grenouille a accepté en faisant un signe de la tête. On a entendu un « clac », et hop ! Le moniteur s'est dépêché de retirer l'hameçon et tout le monde a été soulagé.

— Ouf ! Comment tu vas ?

Une grosse coulée de sang descendait le long du cou de Grenouille.

— J'ai mal à l'oreille…

Je me suis approché de lui.

— Je m'excuse... C'était la première fois que j'allais à la pêche.

Grenouille m'a souri.

— T'en fais pas, Écureuil agile. Ça fait mal, mais je vais m'en sortir !

Cerf argenté a continué.

— Il va falloir que j'avertisse tes parents et qu'on t'emmène à l'hôpital pour éviter l'infection !

— Ah non ! Je veux pas aller à l'hôpital !

— T'as pas vraiment le choix, mon grand. C'est la procédure, quand un accident arrive.

— Qui va m'emmener ?

— C'est Bob, le chef cuisinier. Il termine son quart de travail bientôt, je l'appelle tout de suite. Allez, suis-moi ! Eh vous autres, soyez prudents !

Choqués, on est tous restés quelques instants sans rien dire au bord du lac. Je crois qu'à ce moment-là, on a compris que notre maison était bien loin du camp...

Le feu de camp

Nous devions manger les truites du lac, mais le groupe en avait pêché seulement deux.

Heureusement, Faucon courageux, Cerf argenté et les deux autres moniteurs avaient amené des hot-dogs. Grenouille chasseuse était revenu de l'hôpital et nous étions tous réunis autour du feu. Mauvaise surprise, Steeve et Édouardo étaient assis juste devant nous. J'étais de plus en plus nerveux.

— Comment avez-vous trouvé votre partie de pêche ? a demandé Cerf argenté.

Édouardo a pris la parole.

— Il paraît qu'il y a un nono qui a rentré un hameçon dans l'oreille d'un autre ?

— Lapin fugueur ! Il ne faut pas juger les gens !

Son moniteur n'avait pas apprécié son intervention. Quant à Cerf argenté, il venait de comprendre la situation. Il savait maintenant qu'Édouardo me détestait. On a entendu quelques petits rires à cause de son nom totem. J'avais enfin des armes contre lui.

— Du calme !

Cerf argenté a ramené le groupe à l'ordre.

— Oui, aujourd'hui, il y a eu un accident. Cela aurait néanmoins pu arriver à n'importe qui ! Vous étiez plusieurs à ne pas savoir pêcher. Demain, il se peut que ce soit à votre tour de faire des erreurs. Il est donc important de respecter les autres ! Ici, nous travaillons en équipe !

Le groupe a hoché la tête. Gêné, Édouardo a regardé ailleurs. Son intimidation n'avait pas fonctionné, pour une fois. Il était clair que les règles du camp étaient différentes de celles de l'école et que ça ne se passerait pas de la même façon. Cerf a ajouté :

— J'en profite pour vous annoncer le défi de la semaine prochaine. Ce sera un travail d'équipe ! Vous devrez escalader la falaise Dunkins ! Elle a été nommée ainsi en l'honneur d'un homme très spécial qui a perdu la vie en l'escaladant !

Ça y est, ma salive était prise dans ma gorge. C'était quoi, cette histoire, encore ? Un gars était mort et on allait escalader cette falaise ?

— Mais ce soir est un jour bien spécial ! Vous allez apprendre la signification de votre animal totem et ce que cela implique... C'est ici que les maisons se séparent. Nous allons nous retrouver autour de notre propre feu, près de nos maisons respectives. Je vous donne quinze minutes pour finir de manger et rejoindre vos emplacements dans le calme ! Merci et bonne semaine à tous ! Tissez des liens et préparez-vous pour votre prochain défi de la semaine prochaine ! Et entre-temps, ayez du plaisir!

J'ai mangé les dernières bouchées de mes hot-dogs à toute vitesse, tellement j'avais faim ! La journée avait été intense ! Sans compter cette histoire d'escalade qui aurait rendu nerveux un paresseux ! J'avais hâte d'en savoir un peu plus !

Emma s'est collée contre moi en faisant semblant de grelotter.

— J'espère que tu vas m'accompagner dans ce noir, hein ?

— Peureuse, va ! C'est pas loin ! Regarde, les maisons sont juste là !

— Non ! C'est pas ça !

— Ben… c'est quoi, alors?

Gênée, elle a secoué la tête.

— Je peux pas croire que je vais te demander ça…

— Quoi ?

— J'ai peur d'aller aux toilettes toute seule…

— Ah ! Pas de problème, je vais y aller avec toi ! Tu as peur de la belle Indienne qui hante le lac ?

— Me niaise pas !

Corneille moqueuse s'est approché.

— Peur de quoi ?

Je n'allais pas rire d'Emma devant lui, quand même. Comme je ne savais pas quoi dire, elle lui a avoué son problème.

— Ben, c'est correct ! Moi aussi, je ne suis pas vraiment à l'aise avec ça !

Il a demandé si tout le monde avait fini de manger et on est partis vers les maisons.

— Ton baveux s'est bien fait reprendre par Cerf argenté.

Il me parlait de toute évidence d'Édouardo.

— Ouais! C'est le fun de voir que c'est pas comme à l'école ! La plupart du temps, les profs font pas grand-chose…

— Qu'est-ce que tu veux, y'en a toujours un pour te mettre les nerfs en boule ! J'vais dire comme mon père ! Faut juste les remettre à leur place de temps en temps !

— Il est sage, ton père !

Je pensais au mien, qui me parlait de ses bagarres de moumounes du temps où il fréquentait la petite école ! Pitoyable !

— Dépêchez-vous, les gars !

Emma semblait avoir attendu longtemps avant de se décider à visiter les nouvelles toilettes naturelles ! J'avais un peu peur moi aussi d'y aller tout seul.

— Je me demande s'il y a vraiment des ours ici.

— Ben là !

Emma était pas mal stressée.

— Ben… j'sais pas, moi, a repris Corneille moqueuse. Me semble qu'on est en plein bois, alors c'est possible, non ?

Voyant le visage d'Emma devenir blanc, j'ai décidé de la rassurer un peu. La première journée au camp n'avait décidément pas été de tout repos !

— T'en fais pas, Faon charmeur ! Y'en a pas ! Corneille moqueuse niaise, là, hein ?

Corneille moqueuse m'a regardé en voulant dire qu'il avait compris ma tactique.

— Ouais… bien sûr que je niaise ! Y'a pas d'ours ici !

Emma a mis la main sur son cœur.

— Ouf ! C'est au moins ça !

Présentation des animaux totems

Nous étions assis en cercle sur de grosses bûches autour du feu de notre groupe. Il y avait des petites branches de bois et un gros bol de guimauves prêtes à se faire chauffer la couenne ! J'en salivais d'avance. Mais avant qu'on commence, Cerf argenté a pris la parole.

— Comment avez-vous trouvé votre première journée ?

Tout le monde s'est exclamé et a parlé en même temps ! Il faut dire que le changement était radical pour nous parce que nous venions presque tous de la ville ! Mais dans l'ensemble, c'était un changement positif... puis surtout instructif !

Cerf argenté a semblé satisfait. Après tout, c'était sa job de nous faire passer un été d'enfer. J'étais quand même loin de me douter que j'étais sur le point de vivre une des expériences les plus fortes de ma vie...

— Ce soir est un grand soir ! Vous serez initiés à la force des animaux totems ! Leurs pouvoirs vous aideront à comprendre tous les rites et les passages que vous allez rencontrer au cours de votre séjour !

Il a fait une pause et a fermé les yeux.

— Je m'apprête à vous révéler la sagesse des anciens concernant la force et la puissance du Grand Esprit !

Il n'y avait plus qu'un criquet qui chantait encore par-dessus la voix puissante de Cerf argenté. Tout le monde était hypnotisé par ce gars qui se tenait devant nous, tel un véritable représentant de la nation huronne. Mais qu'est-ce que je dis là ? Il en était vraiment un ! Ça rendait les choses encore plus vraies.

Après un moment de silence, Cerf argenté a commencé un chant autochtone qui ressemblait à un appel de guerre. Puis, cinq minutes plus tard, il s'est arrêté et s'est penché pour prendre quelque chose dans un sac en cuir que Faucon courageux tenait serré contre elle. Tout le monde était ultra-attentif.

Cerf a alors sorti une petite amulette en cuir, sur laquelle était attachée une dent animale, et est allé en direction d'Ours gourmand qui, surpris, s'est redressé.

— Ours gourmand ! Tu as reçu cet animal totem en raison de sa grande force et de sa ténacité ! Tu dois te servir ici de tes capacités de création et apprendre à te faire confiance, ainsi qu'à faire confiance aux autres qui t'entourent ! Pendant ces six semaines au camp, tu devras t'imposer et prendre ta place !

Il a ensuite posé l'amulette autour du cou d'Ours gourmand. Tout ému, celui-ci a murmuré un petit merci et s'est rassis.

Cerf argenté s'est penché à nouveau vers le sac. Il en a tiré une nouvelle amulette, puis est allé vers Emma. Elle s'est levée solennellement et a écouté attentivement.

— Cette amulette t'est destinée, Faon charmeur. Elle est sacrée et ne doit jamais te quitter ! Nous avons choisi cet animal, car tu sembles toujours faire face aux épreuves avec rapidité et courage. Au camp, tu devras cependant laisser parler ta sensibilité et ton intuition, que tu gardes trop souvent à l'intérieur de ton cœur. La présence des arbres de la forêt t'aidera à te sentir bien. Ton esprit courageux y trouvera sa place !

J'étais sous le choc ! Il avait si bien décrit la personnalité d'Emma en lui parlant simplement de son animal totem... J'avais trop hâte que ce soit mon tour !

Emma l'a remercié et s'est assise à côté de moi. Cerf argenté a replongé sa main dans son sac et s'est tourné vers Stéphanie. J'étais très curieux de savoir ce qu'il lui réservait.

— Mouffette constante ! Cet animal totem t'a été attribué parce qu'il est grand temps que tu cesses de te prendre au sérieux. Détente et distraction seront les mots clés de ton séjour au camp ! Mouffette, tu dégages parfois une odeur forte et agressante. Au cours de ce séjour de six semaines, il faudra que tu apprennes à laisser de la place aux autres et à les écouter un peu plus ! Néanmoins, la mouffette possède de véritables dons de défense qui sauront te tenir éloignée des gens nuisibles.

Il a déposé l'amulette sur le cou de Stéphanie qui, pour une fois, semblait écouter sans rien dire.

Ensuite, ç'a été le tour de Corneille, qui s'est levé.

— Corneille moqueuse ! Tu as reçu cet animal totem très puissant, en raison de ta capacité à communiquer avec les autres. Tu es un esprit libre ! Tu possèdes de véritables dons pour saisir les signes de détresse et les faiblesses des autres. Par ta parole et tes actes, tu guéris bien des maux ! C'est pour cela que la corneille t'accompagnera partout au cours de ce camp.

Corneille a accepté l'amulette et l'a mise lui-même autour de son cou. C'était vraiment super ! Je n'avais jamais vécu une expérience aussi flyée. Cerf argenté semblait si bien nous connaître. En une seule journée et une lecture de notre profil de campeur, il avait réussi à comprendre nos forces et nos faiblesses ! Je capotais !

— Louve aventureuse ! Cet animal est imposant par sa force et son courage. Il t'a été attribué, car tu partages avec lui une grande affinité. À son image, tu es protectrice, observatrice, calme et aventureuse. Tu possèdes la rapidité d'attaque quand tu te sens prise au piège et, par-dessus tout, le sens de la famille et de l'amitié. Tu es l'amie dont tout le monde rêve ! Même si tu es timide et réservée, tu devras malgré tout nous faire profiter de tes talents d'enseignement. Tu as beaucoup à offrir, car tu connais plein de choses !

Louve aventureuse semblait émue par les paroles de Cerf argenté. Et moi, j'étais maintenant sûr que j'allais apprendre à connaître des personnes cool ! Il fallait juste que je m'ouvre un peu plus !

Cerf argenté s'est ensuite approché de Grenouille chasseuse.

— Grenouille chasseuse ! Tu as reçu ce nom pour plusieurs raisons. Tu es ici au camp pour guérir certains évènements qui se sont produits dans le passé. La grenouille possède de grands dons de guérison. Invoque la puissance de ton animal totem et tu verras ton courage augmenter. Il est temps de ranger ton côté sensible et de partager tes connaissances ! Profite de la purification que te procurera ton totem !

Cette fois-ci, j'ai retenu tout ce qu'il venait de dire. Qu'est-ce qu'il avait voulu dire par des évènements passés ? On avait peut-être des points en commun, Grenouille chasseuse et moi, finalement.

Il ne restait maintenant plus que deux personnes à passer dans le groupe... Cerf argenté s'est arrêté devant Belette chercheuse, l'amulette à la main.

— Belette chercheuse ! Ton totem est connu pour sa grande curiosité. Comme lui, tu es curieuse et tu cherches toujours à te dépasser ! Tu es solitaire et tu sais être discrète. La belette peut récolter des informations sur les gens sans qu'ils s'en aperçoivent. Au camp, la force de ton animal totem te permettra de rentrer en communication avec les autres. Tu y gagneras des amis !

C'était génial, j'avais l'impression de connaître mon groupe alors que le camp commençait à peine ! Ça me donnait envie d'en savoir davantage sur eux. Je me suis dit que je n'étais sûrement pas le seul à vivre des situations difficiles…

Cerf argenté s'est ENFIN dirigé vers moi avec un petit sourire en coin.

— Le dernier et non le moindre ! Écureuil agile ! Nous t'avons attribué cet animal car, à son image, tu réagis aux situations rapidement ! Tu es en effet vif comme l'éclair. Tu es un garçon prévoyant et aimant. Tu es conscient du moment où tu dois éviter certaines personnes, mais aussi lorsqu'il est temps de les affronter. Tu accumules les choses et tu t'attires parfois la colère de tes parents. Tu es honnête et aussi très sensible. Pendant ton séjour au camp, tu devras essayer de t'ouvrir davantage aux autres, puisque tu as de la difficulté à t'intégrer dans un groupe que tu ne connais pas. Laisse le passé derrière toi et fonce !

J'étais cloué sur place comme tous les autres avant moi ! Comment pouvait-il connaître tant de choses sur moi ?

— Vous connaissez tous désormais la signification de votre animal totem. Je vous invite à faire l'effort de vous abandonner pendant votre séjour ici à la particularité de votre animal. Demandez-lui soutien et force, il vous aidera !

Cerf argenté est ensuite retourné sur ses pas et s'est rassis à sa place, me laissant planté là ! Puis il a crié de toutes ses forces :

— Je suis Cerf argenté !

Faucon courageux s'est levée et nous a fait signe de faire la même chose.

— Je suis Faucon courageux !

Elle m'a montré du doigt, pour me faire comprendre que c'était à mon tour de parler. Je me suis lancé.

— Je suis Écureuil agile !

Emma a enchaîné.

— Je suis Faon charmeur !

Nous avons tous crié notre nom totem. On entendait les échos des autres maisons qui faisaient la même chose devant leurs feux de camp. Faucon courageux a ensuite parlé.

— C'est avec plaisir que je clos la cérémonie des pouvoirs. J'espère que votre initiation a été pour vous une expérience mémorable. Je vous invite maintenant à faire griller quelques guimauves. Dans une heure, il faudra éteindre le feu, ramasser les restants de nourriture et prendre vos douches dans vos maisons. Il est très important de se coucher tôt ce soir et de ne pas parler. J'insiste sur le fait que demain sera une autre belle journée et que vous aurez besoin d'énergie ! Bonne fin de soirée !

Tout le monde a applaudi. On était tous super heureux d'avoir vécu cette expérience et reçu nos amulettes

Je me suis retourné vers Emma.

— Wow !

Elle a secoué la tête.

— J'sais pas encore trop bien ce qui s'est passé.

— Ouais ! C'était super !

Corneille moqueuse s'est penché vers moi.

— J'ai comme l'impression de connaître tout le monde, c'est dingue !

Je lui ai souri en embrochant deux guimauves sur ma branche.

— Moi aussi. Je pensais pas que je ressemblais autant à un écureuil !

— Et moi encore moins à une corneille !

Grenouille chasseuse s'est mêlé à la conversation.

— En tout cas, moi, j'en reviens pas ! Ce gars-là a quelque chose de magique. Je pense qu'on sait pas tout de lui !

Je lui ai répondu :

— Je m'suis dit la même chose… Ça nous fait oublier notre petite personne, hein ?

— Ouin… Il a quelque chose de vraiment spécial, ce gars-là !

Cerf argenté, qui se tenait derrière nous, avait un peu entendu notre conversation. Il a souri, puis s'est éloigné. Le silence a plané pendant quelques instants sur le groupe, puis Corneille moqueuse a parlé en premier :

— J'pense pas que j'vais oublier cette soirée.

On a tous hoché la tête, bien d'accord avec lui.

Semaine 2
L'escalade de la falaise Dunkins
De quoi faire pipi dans son short!

On marchait depuis environ une heure dans la forêt. Cerf argenté et Faucon courageux nous avaient donné à tous un sifflet pour la marche. On se disait qu'on allait probablement devoir s'affronter dans une activité quelconque pour savoir qui grimperait en premier la falaise. On a donc été surpris quand Cerf argenté nous a dit à quoi servaient les sifflets. Ils devaient éloigner les ours, si jamais on en rencontrait ! Je pense bien que tout le sang du visage d'Emma est parti quand il nous a dit ça !

J'ai écarté une branche de la tête de mon amie et lui ai souri pour la rassurer.

— Tu t'en fais pour rien !

Fâchée, elle m'a regardé.

— Toi et Corneille moqueuse, vous m'avez pourtant dit qu'il n'y avait pas d'ours ici !

— Ben... c'est vrai !

Corneille moqueuse est arrivé à la rescousse.

— Écureuil a raison ! C'est pas pareil, là ! Nous allons sur leur territoire ! Quand on est au camp, les ours se rendent pas jusque-là !

Mouffette constante, qui se tenait quand même pas mal tranquille depuis le matin, l'a interrompu.

— Des ours, ça respecte pas le territoire de l'homme, tu sauras !

— Ben, t'es drôle, toi ! Arrête donc de faire peur pour rien à Faon ! Tu vois bien qu'on essaie de lui expliquer que, d'habitude, les ours restent plus loin dans le bois ?

Corneille moqueuse n'était pas content du tout.

— Je suis réaliste, c'est tout !

— Tu parles ! Tu veux juste l'effrayer encore plus ! Qu'est-ce qu'elle t'a fait au juste, pour que tu lui tombes sur le dos de même ?

Emma commençait à être gênée et moi je me disais que, pour une fois, quelqu'un la remettait à sa place, ce qui n'arrivait pas assez souvent à mon goût. Ce n'était pas que je ne l'aimais pas, mais Stéphanie avait vraiment tendance à s'accrocher comme une sangsue et à s'imposer.

— Eh ! J'te dis que tu prends ça à cœur, toi !

— Ben là !

— Ben, mettons que tu te fâches pas mal vite !

Corneille était maintenant très en colère. Emma l'a arrêté.

— Ok... arrêtez de vous chicaner, vous deux !

— Ben là ! On se parle, c'est tout ! Pas vrai, Corneille moqueuse ?

— T'as l'air d'aimer ça, toi, t'ostiner, hein ?

Et ça a continué comme si Emma n'avait rien dit.

— Pas autant que toi, on dirait !

— Tu devrais peut-être faire ce que Cerf argenté t'a dit hier soir ! Tu devrais arrêter de te prendre au sérieux et tu devrais un peu plus écouter les autres !

— Bon ! Ça va ! J'ai pas besoin qu'une corneille me le répète !

— Quoi ?

Leur chicane a pris fin d'une façon brutale. Le sifflet de Louve aventureuse venait de retentir dans le brouhaha général. Le silence est revenu immédiatement.

— Restez calmes et ne bougez pas !

Faucon courageux et Cerf argenté se tenaient à l'avant du groupe, les bras écartés et prêts à intervenir. L'ours noir qui était là n'était pas bien gros. Il nous a regardés, s'est immobilisé et a semblé plus effrayé encore que nous autres. Il a ensuite poussé un grognement qui semblait dire : « Eh, j'suis pris ! » et il s'est enfui dans les bois.

Nos moniteurs se sont alors détendus. C'était évident que ce n'était pas la première fois qu'ils devaient gérer ce genre de situations. Cerf argenté nous a rassurés.

— Ne vous en faites pas. Il faut être prudents, mais les ours qui se trouvent sur ce territoire ne sont pas dangereux. Si nous les respectons, ils ne nous feront aucun mal.

Emma pleurnichait. Elle avait eu une peur bleue. Mouffette constante en a rajouté.

— Je vous l'avais bien dit, qu'il y en avait des ours, ici ! Chaque fois que je dis quelque chose, tout le monde pense que j'l'invente ! Ça s'appelle pas Bear Town pour rien, bande de crétins !

Ça a été la cerise sur le sundae pour Corneille moqueuse.

— Bon, tu vas la fermer, oui ?

Faucon courageux, qui venait de surprendre le commentaire de Corneille, s'est interposée.

— Qu'est-ce qui se passe, ici ?

— Pff !

Stéphanie a levé le nez en l'air et a regardé au loin en disant :

— Y'en a ici qui sont pas mal impolis avec les autres !

— Il y a des façons de parler aux gens, Corneille, a déclaré Faucon. Même si les autres ne sont pas d'accord avec toi, tu dois respecter leurs opinions.

Il n'a rien dit, mais il était évident que ça ne faisait pas son affaire et que Stéphanie serait sur sa prochaine liste de mauvais coups ! Cette fois-là, je serais ravi de participer, en tout cas !

La falaise Dunkins, pas mal plus haute que je pensais…

Quand les dernières rangées de sapins ont enfin disparu, je pense bien que mon cœur s'est arrêté de battre ! Je n'avais en effet jamais vu une falaise aussi haute de toute ma vie !

Et surtout, je n'avais jamais eu en escalader. Et il n'y avait pas que moi qui n'en menait pas large. Tout le groupe était étonné de la taille de la roche !

Faucon courageux a déposé ses affaires à côté de celles de Cerf argenté. Leurs sacs étaient remplis de cordes d'escalade et de matériel que je ne connaissais pas. Je me suis demandé si ce n'était pas le moment de feindre un mal de ventre. Emma s'est alors approchée de moi.

— J'en ai assez d'avoir la trouille ! Y'a pas moyen de faire des affaires le fun, tu penses ?

— Ouais… J'avoue que je suis légèrement anxieux !

— Y'a de quoi ! As-tu vu la roche ?

— Pff ! Y'ont intérêt à nous accrocher comme il faut, parce que…

Stéphanie, qui se trouvait derrière nous, a elle aussi montré pour la première fois quelques signes d'angoisse.

— Hé! Je vous l'dis tout de suite ! Ils sont mieux de faire ça comme il le faut, parce que mon père est avocat et j'te dis qu'il va régler ça, lui !

Voilà qu'elle s'énervait, maintenant ! Pas moyen d'avoir la sainte paix, même dans les bois !

— Arrête, Mouffette ! Ton père est pas mal loin pour te défendre !

— Ben moi, j'ai pas l'intention de participer à cette escalade improvisée ! Si vous voulez vous crasher, moi non !

Faucon courageux s'est avancée vers nous au même moment.

— Tu n'as pas le choix, ma belle Mouffette ! Tu vas devoir escalader la falaise comme tout le monde parce que c'est obligatoire ! Ça fait partie des défis du camp !

Stéphanie a voulu riposter mais, à la dernière minute, elle est partie vers l'arrière, histoire d'avoir peut-être la chance de passer en dernier. Cerf argenté a alors élevé la voix.

— Bon ! Il y a des installations permanentes ici qui permettent à des guides comme nous de pouvoir initier, en toute sécurité, des débutants au magnifique sport de l'escalade ! C'est pas super, ça ?

Un faible « oui » s'est élevé du groupe.

— Bon ! Alors, je vous explique ! Ce n'est pas très difficile en ce qui concerne les règles ! Vous allez attendre que je finisse d'installer les cordages avec Faucon courageux et, lorsque le coup d'envoi sera donné, vous passerez chacun votre tour et viendrez me rejoindre en haut. Ensuite, je vous dirigerai vers le cordage de droite où vous pourrez redescendre tranquillement. Je répète : IL N'Y A AUCUN DANGER !

Une chose était au moins rassurante : il avait l'air convaincu de ce qu'il disait. Pendant que nos deux moniteurs préparaient le matériel, nous avions décidé d'explorer les environs de la falaise. On s'est un peu éloignés. Corneille moqueuse était à quatre pattes, en train de déterrer une espèce de pierre.

— Wow ! C'est ben beau, ça ! C'est quoi ?

Louve aventureuse, qui était derrière lui avec Emma, le regardait avec attention depuis un moment.

— C'est du quartz. Ça fait fonctionner ta montre.

Surpris, j'ai regardé ma montre. Je n'aurais jamais pensé qu'elle avait un rapport avec les roches !

— Hein ?

— Ben oui, le quartz bouge avec l'aide de ta batterie, et c'est ça qui rythme le nombre des tics tacs ! C'est ti pas beau, ça ?

Emma a éclaté de rire en entendant la remarque de Louve aventureuse. Elle avait l'air de savoir pas mal de choses.

— Ben coudonc ! J'vais me coucher moins niaiseux à soir !

Corneille moqueuse a épousseté sa nouvelle trouvaille et l'a donnée à Louve.

— Ouais ! C'est un beau spécimen ! a-t-elle dit.

— Non, le plus beau est devant toi !

Corneille se frottait la bedaine en rigolant. Emma lui a donné une petite claque derrière la tête.

— T'es nono !

— Merci !

J'ai à mon tour observé la pierre dans les mains de Louve.

— Tu connais bien les pierres ?

— Ouais, j'adore ça ! J'en ai toute une collection ! J'aime surtout celles qui sont transparentes comme celle-là. Elles sont belles, non ?

— Ouais, c'est vrai !

— Ça prend tellement de temps à se former, il faut bien les admirer avant de s'en servir !

— S'en servir ?

— Ben oui ! Certaines pierres sont utilisées dans la médecine ancestrale. T'en as jamais entendu parler ?

— Non !

— Ok, ça serait long à expliquer, mais il y a beaucoup de livres qui en parlent !

— Ah oui ? Comment tu sais tout ça ?

Louve aventureuse a secoué sa longue crinière de cheveux bruns. Elle était plutôt jolie, cette fille… les *plasters* sur les genoux en moins, bien sûr.

— C'est ma grand-mère. Elle aime bien découvrir différentes façons de se soigner, alors…

— Elle est malade ?

— Bof ! Les aînés, ils ont mal partout, tu sais !

Elle était super drôle, en plus ! Elle a retourné une dernière fois le quartz dans ses mains et l'a redonné à Corneille, qui l'a tendu à Emma.

— Tiens ! Je te le donne ! Le veux-tu ?

Emma était toute contente de son cadeau.

— Pour vrai ?

— Ben ouais !

Corneille moqueuse avait les joues rouges. Avec ses cheveux blonds et son teint pâle, ça paraissait pas mal. Et moi, de mon bord, j'étais supra choqué ! Quoi, il cruisait Emma ? C'était quoi, cette galère ?

— Ah... ben, merci, Corneille, t'es super fin ! T'es le meilleur !

Elle lui a sauté au cou pour lui donner un bec. Ça y est, j'étais en colère pour de bon ! Louve aventureuse s'en est aperçue et m'a demandé tout bas ce que j'avais.

— Rien. Je viens de me rappeler qu'il va falloir que j'escalade la falaise dans pas grand temps, là...

— Ah ? J'aurais pensé que c'était d'autre chose, mais si tu le dis...

Elle était très intelligente. Trop pour que je reste là, en tout cas. J'ai donc quitté le petit groupe pour retourner avec les autres, et elle m'a suivi. Parfait ! J'étais content parce que, comme ça, Emma verrait qu'elle n'était pas la seule à être intéressante.

— Tu vas où ?

— Je retourne voir si les cordages sont installés… De toute façon, je trouve qu'on s'est éloignés pas mal, là.

Louve aventureuse a regardé derrière nous.

— Ouais… c'est vrai !

Je marchais en la regardant du coin de l'œil. Elle avait comme moi des taches de rousseur sur les joues. Ses yeux étaient noirs... et elle avait deviné que je l'observais.

— Qu'est-ce que tu regardes ?

— Oh ! Ben… je me disais que tu avais de la chance d'avoir les cheveux bruns !

— Quoi ?

La pauvre… J'avais dit n'importe quoi pour m'en sortir et, maintenant, elle ne comprenait rien à mon charabia.

— Ben… je me disais qu'avec tes taches de rousseur, tu aurais pu être rousse comme moi. Finalement, c'est pas si pire, ta couleur de cheveux !

Elle a rigolé.

— Ah ! C'est encore un cadeau de ma mère! Elle a les cheveux noirs et mon père, lui, il a les cheveux roux. Mais comme tu peux l'voir, y'a que les taches de rousseur qui ont survécu au mélange !

— T'es drôle !

— Mais... qu'est-ce que tu as contre ça ?

J'ai secoué ma tête... ou plutôt, ma moumoute, comme je l'appelais toujours.

— Ben, avec une tête comme la mienne, disons que...

— Elle est bien correcte, ta tête !

Elle m'a fait un petit clin d'œil pour renforcer ses mots. J'allais lui faire un compliment quand Cerf argenté a poussé un cri de ralliement. Louve aventureuse m'a pris la main et nous avons couru jusqu'au rassemblement, en bas de la falaise.

J'ai regardé derrière moi. Faon et Corneille arrivaient d'un pas lent et joyeux en discutant. Ouais... disons que les choses commençaient à changer...

Cerf argenté était au sommet de la falaise, qu'il avait grimpée ultra-rapidement ! Faucon courageux nous a expliqué les règles, puis a demandé :

— Bon ! Qui va monter rejoindre Cerf en premier ?

J'avais envie de faire mon fendant et de montrer à Louve aventureuse que je n'avais pas peur de grand-chose, moi non plus.

Poussé par l'adrénaline, j'ai donc levé la main… Et vlan ! Ce qui devait arriver est arrivé. Bon sang que, des fois, je ne réfléchis pas avant d'agir !

Faucon courageux a souri et m'a applaudi.

— Bravo ! Tu as beaucoup de courage et d'esprit de compétition ! Je sens l'écureuil prendre le dessus !

Blablabla… J'aurais dû rester tranquille, pour une fois !

— Vas-y, Écureuil agile ! C'est super, tu vas être le premier !

Louve aventureuse m'encourageait et me tapait dans le dos. Ahhhh ! Je n'avais plus le choix ! Je me suis retourné pour voir si Emma, Faon charmeur, me regardait. Elle m'a envoyé un signe de la main et m'a crié de le faire. C'était trop tard, je ne pouvais plus reculer. Bof ! Il fallait de toute façon que je la monte la méga-roche, alors autant que je sois le premier !

— Ok ! J'arrive !

Sous les applaudissements de ma maison, je me suis lancé dans le vide… enfin, plutôt contre la pierre. Faucon courageux a commencé à installer les cordages autour de ma taille et m'a donné les dernières consignes.

— Pas besoin de te dépêcher, Faucon ! J'suis pas pressé, tu sais...

Elle a ri.

— On doit quand même faire vite entre les montées et les descentes, parce que d'autres maisons vont venir faire l'escalade aujourd'hui !

Je me suis soudain trouvé chanceux de ne pas être dans la même maison qu'Édouardo. Ouf ! J'étais passé près de l'humiliation suprême !

J'ai fait celui qui n'avait pas peur.

— Je sais, je sais. Mais je blaguais !

— Oui, oui ! Vous faites tous des farces, mais je t'avertis : c'est une vraie poussée d'adrénaline et tu voudras recommencer dès que tu seras descendu !

— Bon... si tu le dis...

Je regardais l'immense roche et j'avais du mal à m'imaginer que j'allais l'escalader dans moins de trente secondes. Louve aventureuse a crié pour m'encourager à nouveau.

— T'es le meilleur, Écureuil agile !

C'était sympa, mais je m'en serais quand même bien passé.

— Ok ! Tu es prêt ? Tu vois les points rouges et les points bleus sur la falaise ?

Je tremblais de peur.

— Oui… je les vois...

— Ce sont des points d'appui. Tu mets tes mains sur les rouges et les pieds sur les bleus. Pas compliqué, hein ?

— Ah non... Ça a l'air facile… à comprendre…

Je me suis approché de la falaise. J'avais maintenant l'impression d'être tout seul. Il n'y avait personne qui pouvait le faire à ma place. Le brouhaha derrière moi s'est transformé en léger bruit de fond dans ma tête. J'étais tellement concentré que je n'entendais plus rien autour.

J'ai agrippé la première fente et j'ai poussé de toutes mes forces. Et, bizarrement, mon corps a suivi ! J'ai grimpé après sans penser à rien ni entendre quoi que ce soit jusqu'au milieu de la falaise. Je me suis alors arrêté pour souffler un peu, même si j'étais accroché bêtement comme une araignée à la paroi rocheuse. J'avais mal aux mains et le bout de mes orteils était déjà en compote. En plus, je n'avais pas les bonnes chaussures pour faire ça !

— Ça va, Écureuil agile ? a crié Cerf argenté du haut de la falaise.

— Oui… oui, ça va…

J'étais déjà à bout de souffle. Je n'aimais pas trop ce sport, finalement. Je n'étais peut-être pas assez en forme pour y arriver. J'avais de la difficulté à respirer et j'avais oublié de rendre ma pompe pour l'asthme accessible avant de grimper. Je commençais donc à siffler comme un vieux train.

— Allez ! Tiens bon, mon vieux, tu es presque arrivé en haut !

Cerf argenté était très encourageant... mais j'avais juste grimpé la moitié de la falaise. J'ai essayé d'aller plus vite, mais mon pied droit a manqué la marque et a glissé en me faisant rebondir sur la paroi. C'est là que j'ai regardé en bas... erreur fatale ! Il ne faut jamais regarder en bas ! C'était vraiment capotant ! Dans le mauvais sens, par exemple !

— J'ai peur !

J'avais crié. C'était plus fort que moi, et mon genou droit me faisait un peu mal. Il s'était frotté contre la roche lorsque j'avais glissé. Cerf argenté, qui avait tout vu, a insisté :

— Tu dois continuer, Écureuil agile ! Relève le défi ! La falaise représente tes problèmes et, toi, tu les surmontes en l'escaladant ! Vois-le comme ça ! Fais-le !

Ouais… vu de même... Je pouvais m'imaginer qu'Édouardo était sous mes pieds et que je grimpais dessus, par exemple. C'était amusant comme image. Mais plus facile à penser qu'à utiliser pour grimper cette maudite roche !

— Ok… Je… je vais terminer !

— Vas-y, mon grand !

La façon dont il m'a répondu m'a fait penser à mon père. C'était la première fois depuis que j'étais arrivé au camp que je m'ennuyais de lui. Je me sentais un peu bête. Je n'aurais pas pu choisir un autre moment, au lieu d'être au milieu d'une falaise en pleine crise d'asthme ? Non, je n'aurais pas pu parce que… j'aurais tellement aimé qu'il me voie faire ça ! Il aurait été fier de moi ! Ma vue a commencé à s'embrouiller… Ah ! Ce que j'étais braillard !

J'ai quand même mis un pied devant l'autre et, avec un dernier encouragement de Cerf argenté, j'ai atteint le sommet.

— Bravo ! Tu as été fantastique !

Il me frottait le dos pendant que je reprenais mon souffle. Il a remarqué tout de suite que ma respiration était difficile.

— Ça va ?

J'ai enfin pu sortir ma pompe de la poche arrière de mon short.

— Ouais... Faut juste... que... je... la prenne. Ça... va... aller mieux, après !

Cerf argenté a paru soulagé. J'ai pris mon médicament en reprenant mon souffle, puis j'ai fait coucou à mes chums comme l'aurait fait la reine d'Angleterre !

— Ohé !

J'étais tellement haut que mes amis ressemblaient à des fourmis. J'ai vu des petits bras se lever et j'ai entendu l'écho de leurs voix. Cerf argenté s'est inquiété de mon état.

— Tu vas mieux ? Est-ce que ta respiration est encore sifflante ?

Je l'ai rassuré.

— Ça va, t'en fais pas ! C'est ma faute, j'avais oublié de la mettre proche avant de grimper. J'étais tellement stressé que j'y ai pas pensé!

Il a froncé les sourcils.

— Je vais vérifier ça moi-même à l'avenir, ok ?

Il m'a mis une main sur les épaules.

— Te sens-tu d'attaque pour redescendre ?

— Ouin... si on veut !

Je me suis dirigé vers l'autre côté et j'ai vu que quelqu'un d'autre escaladait déjà.

— Eh ! On dirait Corneille moqueuse, non ?

Cerf argenté s'est penché et a regardé.

— Ouais ! Il me semble bien que ce soit ton chum !

Il voulait sans doute impressionner Emma à son tour. Bah ! Ce n'était pas grave, après tout, c'était quand même moi qui avais grimpé en premier.

— Bon ! Je suis prêt !

— D'accord !

Il m'a installé la sécurité et m'a donné les directives.

— Tu te tiens un peu penché et tu bondis quand tu veux descendre. Tu donnes du lousse, et le cordage va glisser tout seul dans la poulie ! C'est la partie la plus trippante de l'escalade ! Et c'est super rapide. En cinq minutes, tu vas être en bas.

— Tiguidou, comme ma grand-mère Thérèse le dirait !

Après quelques enjambées en sauts de crapaud pas mal rigolos, je me suis rendu jusqu'au milieu de la falaise assez vite. Par contre, mes jambes et mes bras étaient vraiment maganés… Je ne savais pas ce que Faucon courageux et Cerf argenté avaient prévu pour le reste de la journée, mais j'espérais que cela ne serait pas aussi pénible. En tout cas, avec ces deux-là, on pouvait s'attendre à tout.

Je voyais Louve aventureuse qui s'apprêtait à m'accueillir en héros. J'étais bien fier de moi. C'était un beau défi et, connaissant les autres membres du groupe, nous n'allions pas retourner au camp de sitôt. J'étais même curieux de voir comment les autres allaient faire.

— Wow !

J'ai enfin touché terre. Faucon courageux m'attendait.

— Bravo ! Comment tu as trouvé ça, mon homme ?

Mon homme ? Ouais… c'était gentil.

— Ben ! C'est dur pour les bras et les jambes, mais c'est le fun !

— Ah ! J'te l'avais bien dit, hein ?

— Oui, c'est vrai !

Elle m'a détaché et a continué à encourager Corneille moqueuse, dont l'ascension se passait très bien. Bon, ok… il était plus rapide que moi. Et après ?

Louve aventureuse s'est exclamée :

— C'est vraiment cool ! T'as réussi, tu l'as fait en premier ! T'es trop bon, Écureuil agile !

C'était plaisant. J'aimais bien avoir l'attention sur moi, pour une fois. J'ai cherché des yeux Faon charmeur, mais elle n'était pas là. Elle encourageait plutôt Corneille moqueuse dans sa montée. J'ai ressenti une pointe de jalousie.

— Qu'est-ce qu'il y a ? a demandé Louve aventureuse.

Elle voyait bien que je regardais Faon.

— Bah… rien.

Elle m'a attrapé par le bras.

— Arrête ! Faon charmeur est ton amie, mais elle aime bien Corneille moqueuse… Ça te dérange ?

Ce n'était pas le moment de régler ça, surtout que Mouffette constante arrivait en sautillant pour me féliciter.

— Laisse faire. C'est moi, le problème.

— Allons donc !

Louve m'a donné une bine sur un des bras, et j'ai frémi sous le choc.

— Ayoye ! Ça fait mal ! Tu vas voir quand tu vas redescendre ! Tu vas avoir les deux bras maganés, toi aussi !

J'avais à peine fini ma phrase que Mouffette constante est arrivée.

— Super, Écureuil agile ! T'as vraiment été épatant !

Elle me tombait vraiment sur les nerfs.

— Ah ! Merci, Mouffette constante !

— Non, c'est vrai ! Je pense que moi, j'en serai pas capable.

— Oh ! C'est de valeur, alors, car le tout le monde va y passer, tu sais.

L'ascension mémorable de Mouffette constante!

Ça devait faire au moins dix minutes que la prochaine équipe qui allait escalader la falaise était arrivée. Heureusement, ce n'était pas celle d'Édouardo. Par contre, à la vitesse à laquelle Mouffette constante escaladait le rocher, on serait encore là à la noirceur !

Cerf argenté et Faucon courageux tentaient par tous les moyens possibles d'encourager notre mouffette nationale. Louve aventureuse s'est approchée de moi.

— Pauvre elle, quand même !

— Ouin... ben j'ai de la misère à avoir pitié d'elle, tellement elle m'énerve !

— Eh, voyons ! T'es pas fin !

Louve aventureuse avait un peu raison. Stéphanie, Mouffette constante, m'avait quand même souvent défendu à l'école, dans bien des situations. Bon... ça y est... voilà que j'avais des remords !

— Ok ! Je vais l'encourager un peu...

Je me suis approché de la falaise et j'ai crié :

— Mouffette constante ! C'est Écureuil agile qui te parle ! Lâche pas ! T'es capable ! Il ne te reste pas grand-chose ! Tu peux le faire !

Elle a quitté la paroi des yeux et m'a regardé tout en bas.

— J'ai peur !

— Moi aussi ! Mais j'y suis quand même arrivé ! Vas-y !

Faon charmeur et Corneille moqueuse sont arrivés dans mon dos.

— Ouais... peureuse, la Mouffette !

Corneille faisait son fendant.

— Tant qu'elle pisse pas dans ses culottes ! J'ai pas le goût de recevoir de l'urine de mouffette !

Il était fier de sa joke qui, j'avoue, était pas mal bonne.

— Arrête donc de la niaiser.

Surpris, il m'a regardé.

— Ben quoi !

— Regarde bien ! L'autre maison vient juste de se pointer ! Édouardo n'est pas encore ici, mais j'ai pas mal hâte de partir. Je voudrais pas tomber face à face avec lui ici, tu comprends ?

— Bah ! T'en fais pas avec ça !

— Facile à dire !

Faon charmeur, qui se trouvait juste derrière, a ajouté.

— C'est vrai, Corneille ! Tu sais pas à quel point Édouardo, Lapin fugueur, peut être méchant ! En plus, son chum Steeve est avec lui, alors...

Corneille moqueuse a bombé le torse.

— Ça me fait pas peur !

Ah, il commençait à me tomber sur les nerfs, celui-là ! J'ai jeté un coup d'œil vers Mouffette constante, qui avait avancé de deux pas, puis j'ai repris :

— Arrête donc de faire ton smatte ! On le connaît pas mal plus que toi !

— Bande de pissous ! Je vais m'en occuper, de ce gars !

— J'ai rien contre ! Mais il va penser que c'est moi qui lui fais tous ces coups !

Corneille moqueuse a souri en jouant avec une roche trouvée sur le sol.

— Arrête de t'en faire, va ! J'vais te dire comme mon père : ça sert à rien de pleurnicher, il faut agir !

Bon ! Les dictons du paternel, maintenant !

— Y'a rien à ajouter, alors, pour te faire changer d'avis ?

— Pas vraiment !

Je m'en doutais... J'ai donc détourné mon attention vers Mouffette constante, qui tremblait tellement que Cerf argenté était descendu sur le rocher pour l'aider à grimper les cinq mètres restants. Ça prenait vraiment trop de temps et les autres commençaient à être tannés d'attendre. Au bout d'une dizaine de minutes supplémentaires, elle a fini par mettre les pieds à terre.

— Bon ! Enfin !

Corneille moqueuse rigolait.

— Eh ! Un peu plus et on l'oubliait ici !

J'avais envie de rire, mais Louve aventureuse m'a regardé, l'air bête. J'avais donc intérêt à garder un peu de respect pour Mouffette constante. Après tout, je ne voulais pas que Louve aventureuse m'en veuille pour ça. Je lui ai fait un petit clin d'œil pour lui faire comprendre que j'avais compris le message, et ses joues ont pris une petite couleur rose.

Faucon courageux nous a une nouvelle fois tous applaudis pour notre bravoure. Cerf argenté est arrivé en bas à la vitesse de l'éclair et a donné ses cordages à l'autre moniteur, qui attendait avec son groupe. Souriant, il est revenu ensuite vers nous.

— Félicitations à tous ! Je suis fier de vous ! Vous avez tous relevé ce super défi !

Nous avons quitté les lieux, en rang, derrière nos moniteurs. On marchait à travers les bois. Ici et là, Faucon courageux et Cerf argenté nous présentaient des arbres et des plantes, ainsi que leurs propriétés thérapeutiques. C'est drôle, je n'avais jamais fait attention à ça...

— Vous voyez le sapin, ici ? Sa résine est utilisée pour fabriquer du sirop contre la toux. Il a aussi d'autres vertus médicinales.

Les plantes et les arbres ne poussent pas par hasard, vous saurez ! Depuis des siècles, les humains ont développé une relation d'aide avec la Nature. Si nous n'avions plus cette ressource, je crois que ce serait catastrophique ! Vous savez, la plupart des médicaments sont faits à base de plantes !

Grenouille chasseuse s'est exclamé :

— Ouais, c'est bien vrai, ça ! Quand on voit toutes les usines et la pollution en ville ! Et dire qu'on vit là-bas, nous autres ! On s'en rend même pas compte! Ici, tout est différent !

Cerf argenté a souri.

— Toi qui t'intéresses beaucoup aux insectes, tu devrais faire des efforts pour préserver ton environnement. Les insectes doivent se nourrir et garder leur habitacle naturel. Ça doit être le fun, pour un passionné comme toi, de venir les observer en pleine nature, hein?

Ravi, Grenouille chasseuse a hoché la tête... Il suffisait qu'on prononce le mot « insecte » pour qu'il soit heureux.

On a marché ainsi jusqu'à notre retour au camp. Cette fois-ci, aucun ours ne s'est trouvé sur notre chemin. J'avais adoré les explications de Cerf argenté et de Faucon courageux dans les bois. Grâce à eux, je ne voyais plus les choses de la même façon. J'avais peur du bois, avant, et maintenant je le considérais comme un allié… enfin, pas tout à fait, quand même. Je ne capote pas encore d'aller aux toilettes seul la nuit. Faut pas pousser le bouchon trop loin ! On sait jamais, je pourrais rencontrer le fameux fantôme de l'Indienne Sérénio ! Ouf ! Rien que d'y penser, j'en ai des frissons.

Un après-midi libre. Ah! Ça fait du bien!

Il devait faire au moins 30 °C, et Cerf argenté nous avait permis de nous baigner. Près du lac, il y avait un immense quai avec des chaises en rondins et des petites tables pour déposer nos bouteilles d'eau. C'était cool. Ça faisait du bien de se reposer et d'avoir du temps à soi. Corneille moqueuse, Faon charmeur et Louve aventureuse étaient assis près de moi, les pieds pendant au bout du quai.

— Ouais! Je ne sais pas comment ils font pour sauter dans le lac, eux autres.

Faon charmeur regardait Grenouille chasseuse, Belette chercheuse et Ours gourmand qui pataugeaient déjà comme des têtards ! Quant à Mouffette constante, elle faisait la baboune dans un coin, au bord d'un arbre.

— C'est vrai que c'est pas trop évident de se saucer quand on a le corps chaud comme ça !

Corneille moqueuse me faisait rire.

— On dirait une remarque de vieux !

— Eh, toi ! Ne commence pas si tu ne veux pas avoir ta couette rousse mouillée, ok ?

— Quoi ça ?

— Ha ! Ha !

Tout le petit groupe a éclaté de rire.

— Ah ! Ouais…

Je me suis frotté la tête. Il se moquait de mes cheveux, je venais de comprendre.

— C'est vrai pareil ! Des fois, tu parles comme un aîné !

J'ai eu à peine le temps de finir ma phrase que Corneille moqueuse m'a poussé à l'eau. J'en ai profité pour attraper les pieds de Louve aventureuse pour la faire tomber. Elle a poussé un petit cri d'étonnement. L'eau était froide sur le coup, mais super bonne après. Je me suis éloigné en nageant et Louve m'a suivi. Je me suis arrêté un peu plus loin.

— Touches-tu le fond ?

Louve aventureuse a rejeté ses longs cheveux bruns en arrière.

— Ouais !

— C'est le fun, hein ?

— Mets-en ! Après l'escalade de tantôt, on l'a bien mérité !

J'ai regardé vers le quai où se trouvait Faon charmeur. Elle nous fixait attentivement. Je me demandais si elle était jalouse.

— Qu'est-ce que tu regardes ? a demandé Louve aventureuse en me rejoignant.

— Rien. J'admire le paysage.

Elle a soupiré en se poussant un peu plus loin dans l'eau.

— C'est vrai que c'est beau ! Je vais essayer de le dessiner pour mon père, tantôt !

— Ah oui ?

— Ouais… J'suis pas mal bonne au fusain, tu sauras !

— C'est cool !

Elle a souri en rougissant un peu. Je la trouvais vraiment cute.

— Moi aussi, j'aime bien le dessin, pis écrire.

— Ah oui ?

— Ouais ! J'aimerais faire l'un ou l'autre plus tard !

— Comme être écrivain ?

— Ouais, ça me plairait ! Connais-tu la série *Capitaine Aquidam* ?

— Tu parles ! J'adore, oui !

J'étais surpris, car elle n'était pas encore très connue.

— C'est vrai ?

— Oui ! L'histoire est vraiment bonne !

— Ah... c'est une histoire comme ça que je voudrais écrire ! Pour l'instant, je raconte mes journées et mes activités dans un cahier... Mais j'aimerais ça avoir un *laptop*, comme les vrais auteurs.

— C'est vrai que ça doit être le fun ! Passer sa vie à inventer des histoires !

Je lui ai souri tout en posant mes pieds sur le sable, au fond de l'eau. Mon pied s'est alors accroché à quelque chose de dur.

— Aïe ! C'est quoi, ce truc ?

Louve aventureuse s'est approchée et a tenté de voir ce qui n'allait pas.

— T'as une crampe ?

— Non ! C'est pas ça... Il y a quelque chose qui pique sous mon pied !

— Hein ?

— J'te le dis ! Je vais essayer de le ramasser.

J'ai plongé ma tête sous l'eau et j'ai cherché à tâtons dans l'eau.

— Tu l'as ?

— Non, c'est pris dans le sable ! J'y retourne !

J'ai finalement écarté une grosse roche qui m'empêchait de prendre l'objet. Puis, je l'ai sorti de l'eau.

— Regarde !

Louve aventureuse n'en croyait pas ses yeux.

— Mais c'est en or, ton truc !

— On dirait.

— Qu'est-ce que c'est ?

En regardant de plus près, je me suis aperçu que c'était un collier avec un médaillon creux. On pouvait y mettre une photo.

— Ma grand-mère en a un comme ça !

— C'est un collier ?

— C'est un collier-médaillon… ça doit s'ouvrir, logiquement.

— Attends, ne l'ouvre pas ici ! S'il y a quelque chose à l'intérieur, ça va tomber dans l'eau !

— T'as raison ! Viens, on va aller sur le bord, juste là.

On est sortis de l'eau dans la bouette de la plage. Faon charmeur nous observait de loin et semblait se demander ce qu'on faisait.

Corneille moqueuse lui parlait et elle ne semblait pas trop écouter. J'étais content qu'elle s'intéresse encore à moi...

— Bon ! Secoue-le un peu !

— Pourquoi ?

— Pour enlever l'eau !

— Ah ! Tant qu'à ça...

Je l'ai secoué, penché sur le côté, puis tourné...

— Bon ! On peut l'ouvrir, maintenant ?

— J'pense que oui.

J'ai mis mes mains sur le petit bouton qui tenait le médaillon fermé. Il s'est ouvert tout de suite, faisant tomber sur mes genoux une mèche de cheveux noirs et une perle.

— Wow !

Louve aventureuse a ramassé les deux objets avant qu'ils tombent par terre.

— C'est débile ! Regarde, Écureuil agile ! Il y a une photo !

Au fond de la mini-boîte, il y avait le portrait d'une jeune autochtone. C'était sans doute celle à qui appartenait la mèche de cheveux. En fait, il y avait plutôt deux photos : une de face et une autre légèrement tournée. Elle était vraiment super belle.

— Ouais ! Elle était belle, cette madame-là !

— C'est peut-être la jeune Amérindienne de la légende de Cerf argenté, non ?

Louve aventureuse m'a donné une tape sur l'épaule et j'ai failli lâcher le précieux collier.

— Eh! Fais attention !

— Oups ! Scuse !

— Pas grave.

— J'crois pas que ce soit elle. Ça fait bien trop longtemps de ça, les caméras existaient pas encore.

— C'est vrai, ça !

— Ouais !

— Alors, qui ça peut bien être ?

— Des gens qui sont passés par ici, sans doute...

— Oui, mais l'Amérindienne est pas mal chic. Elle porte des vêtements de gens blancs.

— C'est vrai... Et elle a même des bijoux, regarde !

— Oui... Elle a peut-être été avec un homme blanc qui est venu ici. J'ai lu que ça se faisait avant.

— C'est quand même plusieurs années après la fille qui a tué tout le monde !

— Tu parles de la légende de Sérénio ?

— Ouais ! J'y crois pas, à cette histoire-là. J'suis pas mal certaine que c'est juste pour nous faire peur, pour qu'on sorte pas la nuit !

— Peut-être... En tout cas, moi, il m'a convaincu !

Louve aventureuse m'a niaisé un peu.

— Pissou ! T'es facilement impressionnable !

— Traite-moi donc d'innocent, tant qu'à ça !

— Innocent !

Nous avons ri, et je suis revenu à mon collier... Les photos étaient bien conservées. L'eau ne les avait pas abîmées.

— C'est quand même bizarre qu'elles soient en si bon état, non ?

— Oui... C'est peut-être parce qu'elles étaient sous une roche... Ç'a peut-être protégé le collier.

— En tout cas, j'ai hâte de montrer ça aux autres ! J'ai une super idée !

— Quoi ?

— Quand tu vas dessiner pour ton père tantôt, je vais commencer une histoire à partir de ce qui vient de se passer !

Louve aventureuse m'a fait une grimace. C'était évident qu'elle ne comprenait pas trop ce que je voulais faire.

— Je vais créer un personnage à partir de la femme photographiée dans le collier ! Je vais enfin avoir un bon sujet pour mon histoire !

Elle m'a regardé d'un air surpris.

— Tu vas écrire un livre ?

— Ouais ! Pourquoi pas ?

— Tu dis ça comme si t'allais chercher un carton de lait au dépanneur !

J'étais pourtant sérieux ! Je n'avais jamais été aussi motivé.

— C'est décidé ! Je vais commencer tantôt !

Louve aventureuse a serré ses longs cheveux dans ses mains pour les sécher.

— Bon ! Autant aller chercher ce qu'il nous faut, alors !

— Ouais !

Nous sommes retournés au camp pour ramasser notre matériel. En s'y rendant, on a croisé Cerf argenté, qui s'occupait de préparer notre soirée.

— Salut, vous autres ! Ça va bien ?

— Ouais, super ! Regarde ce que j'ai trouvé au fond du lac !

Il a ramassé le collier, l'air super surpris.

— Tu as trouvé ça tantôt ?

— Oui ! Louve et moi, on était en train de se baigner et oups ! J'ai mis le pied dessus ! Regarde à l'intérieur !

Cerf argenté a regardé longuement les deux photos dans le collier.

— Wow, c'est précieux ! Tu as de la chance d'avoir trouvé ça ! On le présentera ce soir devant les autres au feu !

— D'accord !

Louve aventureuse lui a expliqué qu'elle voulait faire des dessins du paysage. Et, moi, que j'avais décidé d'écrire une histoire à partir de la fille du collier.

— Je suis content de voir que vous avez réussi à vous connecter avec vous-mêmes ! C'est à ça que sert votre séjour. Le fait que vous ayez des projets de ce type me fait vraiment plaisir. Alors, continuez ! Écureuil agile, avec un aussi beau sujet, tu ne me manqueras pas d'inspiration !

Je n'avais pas compris tout ce qu'il venait de dire, mais j'étais content de ma découverte.

— Je peux le garder, ce collier ?

— Certainement ! Si le lac a décidé qu'il te revenait, il t'appartient !

J'étais heureux. Louve aventureuse m'a souri. Tout se passait bien.

Période de création. Pas si facile que ça...

Quand nous sommes revenus des maisons avec notre matériel, Faon charmeur et Corneille moqueuse avaient disparu. Ils étaient partis, et ça m'a un peu dérangé. Louve aventureuse s'est installée sur la première chaise, au bout du quai. J'ai pris une chaise à côté d'elle.

— On est tous seuls !

Louve aventureuse m'a regardé, l'air surpris.

— Ben oui. Pourquoi tu dis ça ?

Je ne m'étais pas aperçu que je parlais tout haut. Faut dire que Faon n'était pas là, et je n'aimais vraiment, mais vraiment pas ça !

— Bah... J'sais pas !

— Ouais... Pour un gars qui s'apprête à écrire, tu te soucies pas mal du monde, je trouve.

— Ben non ! En passant, qu'est-ce que tu vas dessiner ?

Louve aventureuse a observé le lac. Elle a plissé ses yeux pour bien voir malgré le soleil.

— Je crois que je vais dessiner le quai à gauche avec Cerf argenté qui nous surveille.

— Ouais ! C'est vrai que ça fait une belle image.

— J'y pense. Tu pourrais inclure Cerf argenté dans ton histoire, non ? Il serait l'amoureux de ton personnage principal ! Il est tellement cute !

J'ai regardé mes papiers et mon crayon. C'est vrai que Cerf argenté avait du succès auprès des filles. J'avais entendu toutes sortes de compliments sur lui depuis le début du camp.

— Ouais ! Ce serait une bonne idée !

Mais bon, plus facile à dire qu'à faire ! Je ne savais pas par où commencer. J'ai présenté mon personnage, puis... plus rien ! Moi qui pensais que c'était super facile d'écrire de la fiction, maintenant, je trouvais ça plus dur que dans mes rêves.

— Qu'est-ce qu'il y a ? m'a demandé Louve aventureuse, en train de griffonner.

— Rien. Je cherche juste quoi dire !

— Ok ! Parce que tu soupires comme un vieux train, alors...

— Très drôle !

Au même moment, on a entendu un grand cri.

— C'est quoi, ça ?

Louve aventureuse était déjà debout, cherchant qui avait bien pu crier aussi fort.

On a alors reconnu la voix de Cerf argenté, qui criait aussi qu'il avait besoin d'aide.

— Ça vient de derrière les maisons !

— Tu crois ?

— Oui ! Allons-y !

— Je laisse mes trucs ici, dit Louve aventureuse, on reviendra !

— Ouais !

On courait à travers les roches et les racines. Tout le monde arrivait en courant. C'est là que j'ai vu Corneille moqueuse qui revenait du bois avec Faon charmeur. Qu'est-ce qu'ils faisaient là, ces deux-là ? Mon cœur s'est serré très fort dans ma poitrine. Mais qu'est-ce qui se passait ici ? J'étais vraiment stressé !

Et je n'allais pas tarder à le savoir... Près des maisons, Grenouille chasseuse était allongé par terre. À côté de lui, il y avait Ours gourmand et nos deux moniteurs. Les autres enfants arrivaient progressivement.

— Voilà ce qui arrive aux gars trop téméraires !

Cerf argenté essayait de calmer Grenouille chasseuse, qui gémissait sur le sol. Faon charmeur s'est approchée de Louve aventureuse et de moi.

— Qu'est-ce qui s'est passé ?

Je me suis retourné, pour éviter de lui répondre.

— D'après toi ?

— Qu'est-ce que t'as ?

— Rien !

J'ai attiré Louve aventureuse par le bras pour m'éloigner. Je ne voulais surtout pas être à côté d'Emma.

Faucon courageux a retourné la jambe de Grenouille chasseuse, qui a crié de douleur.

— Bon, maintenant, on sait qui a poussé ce cri tantôt.

Cerf argenté s'est redressé.

— Nous allons aider votre ami, ok ? Notre grenouille a voulu attraper un papillon dans cet arbre, et la branche s'est cassée. C'est bien ça ?

Grenouille chasseuse a hoché la tête.

— Est-ce que quelqu'un peut me dire ce qu'il ferait dans un cas pareil ?

Belette chercheuse s'est avancée.

— J'appellerais une ambulance ?

— Oui, tu as raison. Si la personne ne peut pas bouger sur le sol, il est possible que sa colonne vertébrale soit touchée, alors on ne la déplace pas. On la couvre si elle a froid, on la rassure, on fait en sorte qu'elle ne s'endorme pas et on appelle le 911. Par contre, si la personne bouge, comme c'est le cas ici, qu'il fait froid et qu'on ne peut pas attendre à l'extérieur, que doit-on faire ?

Corneille moqueuse s'est accroupi près de Grenouille chasseuse.

— Je crois qu'il faut la transporter dans un endroit sûr pour attendre les secours !

Cerf argenté a paru satisfait.

— Quand c'est possible, oui. Dans le cas présent, je crois bien que notre ami a la jambe cassée. Tu as mal au dos ?

Grenouille chasseuse a secoué la tête en grognant un Non. Il semblait avoir très mal.

— Bon ! Allez me chercher ce dont je vais avoir besoin ! Écureuil agile, de la corde ! Corneille moqueuse et Faon charmeur, de longs bouts de bois pour faire une civière ! Mouffette constante et Belette chercheuse, des branches de sapin ! Enfin, Ours gourmand et Louve aventureuse, donnez du soutien au malade ! !

Nous avons couru dans tous les sens rapporter ce que Cerf argenté avait demandé. Une fois à l'intérieur de la maison, une idée m'a traversé l'esprit. J'ai trouvé la corde rapidement et, ensuite, j'ai ouvert le coffre contenant le kit de survie qui nous permettait de soigner nos petites blessures. J'en ai sorti le gros pot de vaseline.

Je me suis alors dirigé vers la maison d'Édouardo… J'avais eu un trop-plein de frustration et ce serait lui qui paierait pour ça ! Je suis entré par la porte de derrière, je suis allé vers son coffre, sur lequel était écrit son totem, « Lapin fugueur ». J'ai plongé ma main dans l'énorme pot de vaseline et j'ai beurré le cadenas du coffre… Et après, j'ai vidé le reste sur son oreiller ! Wow ! Quelle sensation de plaisir ! J'ai ensuite remplacé le pot dans la pharmacie de sa maison. Le tour était joué ! Je me suis dépêché de revenir auprès des autres et de Grenouille chasseuse.

— Me voilà !

Cerf argenté n'avait pas remarqué ma petite escapade, trop occupé à réunir le matériel.

Les autres sont arrivés avec les branches, et finalement Corneille moqueuse et Faon charmeur ont apporté les deux bouts de bois. Cerf argenté a ensuite expliqué comment fabriquer une civière, et tout le monde a donné un coup de main. Finalement, Faucon courageux a installé Grenouille chasseuse sur notre œuvre, puis on l'a soulevé de terre. Il a continué à gémir. Mais lorsqu'on l'a déposé près de la porte de notre maison, quelque chose d'improbable s'est alors passé... Grenouille s'est levé, tout souriant. Tout le monde était super étonné, bien sûr, moi le premier. Faucon nous a alors dit la vérité :

— Merci, la gangue ! Il s'agissait d'un exercice !

Ours gourmand a éclaté de rire.

— J'étais dans l'coup !

Je n'en revenais pas. Louve aventureuse m'a regardé sans comprendre. Cerf argenté s'est mis à rire.

— Vous êtes vraiment drôles à voir ! Mais vous avez bien réagi, je suis fier de vous !

Qu'est-ce que c'était que cette galère, encore ? C'était un piège ?

— Vous voulez dire que c'était pour de faux, tout ça ?

Faucon courageux riait elle aussi, mais sa bonne humeur n'était pas très contagieuse.

— C'est important que vous sachiez quoi faire en cas d'accident ! Surtout pour ce qui vous attend !

Mouffette constante commençait à être anxieuse. Mais bon, on ne pouvait pas dire qu'elle avait eu une bonne expérience jusqu'à présent. Moi, plus rien ne m'étonnait. Belette chercheuse a quand même questionné les moniteurs sur notre sort.

— Qu'est-ce qui nous attend ?

Cerf argenté a croisé les bras, fier de son coup.

— C'est de loin ma partie préférée du camp !

Je ne sais pas pourquoi, mais ça me faisait peur ça, ces mots…

— Nous allons partir en forêt pendant trois jours !

Ça y est ! J'étais sur le point de me dégonfler comme un vulgaire ballon ! Je ne pensais pas qu'ils nous demanderaient de faire ça maintenant ! C'était bien trop tôt !

— Mais quand vous dites « tous », c'est seulement nos maisons ?...

— Non, l'ensemble du camp ! C'est ce qui rend le défi plus intéressant, non ?

Je capotais... Édouardo allait donc être là ! Je commençais vraiment à regretter mon geste de tantôt. Je ne pensais pas que j'allais le revoir aussi vite. Ça m'apprendrait à faire des coups comme ça, aussi !

— Il va falloir que tout le monde prépare ses bagages dimanche soir !

Cerf argenté était tout souriant. Grenouille chasseuse était à côté de lui, tout fier. Ouais, c'était tout un comédien, ce gars-là !

— Pendant que vous étiez dans le lac en train de faire une saucette, Faucon a préparé des sacs à dos spéciaux. Il n'y manque que vos affaires. J'aimerais donc que vous commenciez à vous préparer mentalement, car dimanche va venir vite ! Ah, en passant, Corneille et Écureuil, vous serez de corvée de bois ce soir.

Ouais... en train de faire une saucette. Mon œil ! On n'avait eu le temps de rien faire ! Louve aventureuse s'est tournée vers moi.

— Je n'en reviens pas ! Tu parles d'une affaire…

— T'as raison !

Dimanche, c'était seulement dans quatre jours !

Le petit groupe s'est séparé, et Corneille moqueuse m'a accroché par le bras.

— T'as ben l'air bête!

— Hein ? Qu'est-ce que tu veux dire ?

Il m'a éloigné du groupe et s'est assis avec moi par terre.

— Ben, j'sais pas. Tu me regardes pas mal drôlement quand je suis avec Faon !

— Pis ?

Il m'a fait petit un clin d'œil.

— Écoute, entre gars, on peut bien se le dire, que Faon est plutôt cute et que peut-être tu l'haïs pas.

Il parlait d'elle comme d'une auto sport !

— Ah ! Arrête donc de dire n'importe quoi !

— Donc, je me trompe ?

— Mets-en ! Cette fille-là ne m'intéresse pas du tout !

— Bon ! Donc, elle est libre ?

— Tu parles comme si on avait l'âge de sortir avec des filles…

Il a souri en rejetant sa tête vers l'arrière.

— Ben oui, justement !

Louve aventureuse est arrivée à ce moment-là.

— Franchement, Corneille moqueuse ! Moi, je pense que tu ferais mieux de penser à autre chose !

— Bah, j'parlais de vraies filles, pas des garçons manqués comme toi !

Surprise, elle a reculé. Je l'ai défendue tout de suite.

— Excuse-toi, Corneille ! C'est pas cool, ce que t'as dit.

— Ben… je voulais juste rire un peu ! Vous êtes ben à pic, cet après-midi !

C'est vrai que le fait qu'Emma se rapproche de lui me dérangeait beaucoup…

— Bon, écoute ! Ça fait pas mal d'affaires en même temps ! J'veux dire, on se fait niaiser par Grenouille chasseuse, après avoir fait la pire chose de ma vie : escalader la falaise de la mort ! J'apprends ensuite que je suis de corvée de bois et que dans quatre jours, je pars en forêt avec le pire ennemi de ma vie ! Y'a de quoi être en maudit, non ?

— Ouais… c'est vrai. Il va être là, lui…

Corneille moqueuse réfléchissait à voix haute.

— Ouais ! Il va être là et il va découvrir ce que j'ai fait tantôt !

Les mots s'étaient échappés de ma bouche ! Corneille, qui regardait par terre, a relevé la tête. Je n'avais plus vraiment le choix. Je devais leur avouer mon tour.

— Tantôt, je suis allé chercher la corde…

Je leur ai ensuite raconté ma visite dans la maison de Lapin fugueur et le coup de la vaseline sur son oreiller et son cadenas.

— T'as vraiment fait ça ?

J'ai hoché la tête, l'air grave.

— Viens dans mes bras, mon ami ! Tu apprends vite !

Corneille a éclaté de rire en me serrant dans ses bras.

— Ah ! Arrête ! Tu ne vois pas que je nous ai mis dans le trouble ?

Il a haussé les épaules.

— Ben oui ! Mais qu'est-ce que tu veux ? Y'a pas de fumée sans feu, comme dit mon père.

Louve aventureuse a ricané un peu.

— C'est vrai que j'aimerais ça, lui voir la face, quand il va se coucher ce soir !

Moi, je n'en étais pas certain du tout...

— Il faut que ça reste mort, ok ?

Faon charmeur, qui venait vers nous, a demandé :

— Quoi, au juste ?

Corneille moqueuse s'est fait un plaisir de lui raconter toute l'affaire avant de partir vers le lac. Louve aventureuse lui a fait signe d'attendre.

— Écureuil, j'te ramène tes trucs ?

— Mes trucs ?

Cette histoire m'avait tellement magané que j'en avais oublié mon matériel.

— Ah oui ! Merci !

Les deux sont partis vers le lac, et je suis resté seul avec Emma. Il y a eu un petit moment de silence gêné, pendant lequel elle a joué avec ses chaussures dans les roches.

— Tu crois que tu seras pas découvert ?

— Je sais qu'il saura...

— Alors pourquoi t'as fait ça ?

— J'sais pas...

— Pff ! La réponse préférée des garçons !

— Et toi ?

— Quoi, moi ?

— Qu'est-ce que tu faisais dans le bois avec Corneille moqueuse ?

Faon charmeur est devenue rouge comme une tomate.

— Qu'est-ce que tu veux dire ?

— Ben, devine !

— T'es jaloux, ou quoi ?

— Pas du tout !

— Bon... alors, pourquoi tu me demandes ça ?

J'ai pris mon air détaché. « Le pouvoir appartient à celui qui ne laisse pas paraître ses émotions », disait Yoda dans *La guerre des étoiles*.

— J'ai promis à Mathieu, ton père, de te surveiller au camp !

Emma a souri méchamment.

— Tu devrais faire attention, alors, parce que ton père m'a demandé la même chose !

— Pis ?

— Pis je pourrais lui raconter tes niaiseries !

— Ok ! On est quittes, alors !

Elle a souri, fière de son coup.

— Ça ne me dit toujours pas ce que tu faisais avec Corneille...

— T'as pas besoin de le savoir !

— Vous vous êtes embrassés?

— Non ! Et même si c'était le cas, j'te le dirais pas ! C'est pas de tes affaires ! Reviens-en Mady ! On N'EST PAS ENSEMBLE !

Emma est partie juste après en courant, les larmes aux yeux. Y'a pas à dire ! Je n'avais aucun talent pour parler aux filles, moi ! Mais elle avait raison, il fallait que j'en revienne. Emma et moi ce ne serait jamais possible. Ce n'était pas facile à accepter. J'avais vraiment eu un coup de cœur pour elle, alors c'était super dur ! Mais bon, je pensais de plus en plus souvent à Louve aventureuse...

Je me suis donc levé et suis retourné avec les autres gars dans notre maison. En chemin, j'ai vu le groupe d'Édouardo qui revenait de la falaise. Il allait sans doute aller se baigner ensuite... donc, je ne pouvais plus retourner sur le quai pour finir d'écrire au moins la première page de mon roman ! Ahhh ! Tout à coup, mon ventre s'est serré et j'ai détourné le regard. J'avais toujours le collier dans ma poche. Il pouvait bien attendre encore.

Je me suis dépêché de rentrer et de m'allonger sur mon lit. À côté de moi, Corneille moqueuse était sur le sien, les bras croisés sous sa tête. Les autres gars étaient déjà en train de vérifier leurs sacs de survie en forêt. Moi, avec Lapin fugueur dans le coin, j'avais plus tendance à appeler ça « péril en forêt » ! J'ai soupiré et Corneille moqueuse s'est tourné vers moi.

— Allons, ça va passer ! Les filles sont dures, parfois !

Il était donc tannant avec ça, lui !

— C'est pas ça qui m'achale !

— Ah non ?

— Non... J'sais que tantôt, y'aura un gars qui va se coucher la face dans la vaseline et que tout le monde va capoter !

Corneille moqueuse a souri.

— Règle numéro un: ne jamais avoir de remords !

— Ben oui ! Très drôle !

— J'te le dis ! Depuis quand tu rêvais de te venger ?

— Longtemps !

— Bon ! Tu vois ?

Dans le fond, j'aurais aimé lui donner raison mais, d'un autre côté, je savais bien que ce n'était pas ce que je voulais vraiment, me venger. Mais bon, peut-être aussi que c'était moi, dans le fond ! Peut-être que j'avais retenu toute cette rage en dedans et que là, ça se mettait à sortir.

— Arrête de t'en faire avec ça ! Le prochain coup, c'est moi qui le ferai !

— Je suis pas certain de vouloir recommencer !

— Quand tu vas l'entendre crier après toi... ça va te motiver !

Il avait sans doute raison.

— Peut-être...

— Pas peut-être ! Certain !

Corneille moqueuse s'est redressé. Assis dans son lit, il s'est étiré de tout son long.

— Bon ! Faudrait vérifier nos sacs de survie, mon vieux !

— Je sais, mais on va avoir un peu de temps après le souper aussi !

— Hum... je commence quand même ! Mais avant, je voulais te demander...

— Quoi encore ?

— Est-ce qu'il y a quelque chose entre toi et Faon charmeur?

— Non!

— Fiou! Je sais que tu m'as dit ça tantôt, mais je vous ai vus et j'ai pensé que peut-être...

— Pourquoi tu dis ça?

— Parce qu'on s'est embrassés dans le bois, cet après-midi! Je voulais donc juste être certain que c'était pas ta blonde!

Vlan! Ça y est, elle l'avait fait. Je me suis tout à coup senti super triste... C'était ma première peine d'amour.

— Ah! Ok...

— Ben... qu'est-ce que t'as?

— C'est juste que Faon et moi, on a partagé pas mal de choses ensemble... Ça me fait drôle, que tu me dises ça.

— J'te comprends.

— Nos parents se sont rapprochés sans qu'on s'en rende compte... et ç'a été incroyable, après.

Corneille moqueuse m'écoutait attentivement.

— Qu'est-ce tu veux dire?

— Ben, on est tombés amoureux tous les deux, mais nos parents aussi! Elle est donc devenue une sorte de demi-sœur, tu vois ? La vérité, c'est qu'on s'est embrassés, pis notre histoire est devenue impossible…

— Merde !

— Je sais.

Corneille moqueuse n'en croyait pas ses oreilles. Mais bon, c'était vrai que c'était presque une histoire à dormir debout.

— Je promets que je vais bien m'occuper d'elle !

— Pff !

— Ben quoi ?

Corneille avait le feu aux joues.

— Tu penses que je vais la niaiser ?

— Non. Je trouve juste que tu dis ça comme si tu allais passer ta vie avec elle !

— On sait jamais !

— T'as juste douze ans !

— Pis ça, toi aussi !

— Ouais… En fait, j'ai plutôt douze ans et trois-cent-soixante-quatre jours… Eh oui, je ne l'ai dit à personne, mais ma fête, c'est demain et je la passerai au camp !

J'espère juste que Cerf argenté et Faucon courageux ne décideront pas de me faire une sorte d'activité spéciale de la mort rien que pour moi ! Comme j'en ai parlé à personne encore… je vais sûrement pouvoir m'en sauver… enfin, je l'espère…

Corneille moqueuse a éclaté de rire en se tapant sur les cuisses.

— T'en fais une sale tête ! T'es drôle à voir !

— Écoute… j'te souhaite bien de la chance avec Faon …

Il m'a mis la main sur l'épaule.

— T'es cool, Écureuil agile. J'suis content d'être ton chum !

Puis, il s'est penché comme pour me dire un secret.

— Tu sais ce qu'Emma m'a dit tout à l'heure ?

— Hum ?

— Eh bien… il paraît que Louve aventureuse aime ta tignasse rousse, mon chanceux !

Ça, je le savais déjà… D'ailleurs, ça me stressait un peu parce que moi aussi, elle me plaisait, cette fille.

— Elle t'a dit ça ?

— Oui, monsieur !

— Ouin…

— T'as pas l'air ben content !

— Ah ! Ben oui... C'est juste que ça fait beaucoup en même temps !

— Tu sais, je niaisais tantôt quand j'ai dit qu'elle avait l'air d'un gars manqué ! Je voulais juste voir si tu la défendrais !

— T'es vraiment baveux, quand tu veux !

— Ah, j'suis comme ça ! Bon, on vérifie nos sacs, là ? Ils vont bientôt nous appeler pour souper !

Les moniteurs ne l'avaient pas nommé Corneille moqueuse pour rien.

Auprès du feu...

Je me suis assis à côté de Louve aventureuse et, avec le sourire, elle a partagé avec moi ses guimauves un peu trop rôties. J'étais, moi aussi, brûlé. J'avais ramassé trop de bois avec Corneille moqueuse. Faucon courageux nous avait dit qu'on en avait assez pour passer toute la nuit dehors. Drôle de joke... vu qu'on allait justement le faire dans quatre jours !

Brrr ! J'avais peur des bibittes et des animaux sauvages... J'avais donc intérêt à amener ma pompe pour l'asthme ! Faucon allait parler quand on a entendu un cri de rage qui provenait de l'autre côté de nos maisons...

— C'est quoi, ce cri de mort ?

Faucon courageux a questionné Cerf argenté du regard. Il s'est levé d'un bond.

— J'y vais !

Il y a eu un moment de silence dans le groupe, et Corneille moqueuse s'est penché pour me pincer une fesse. J'avais envie de rire, parce que je savais que Lapin fugueur venait de se coucher sur la vaseline, mais il ne fallait surtout pas le montrer. Les épaules de Louve aventureuse sautaient un peu. Elle rigolait un peu trop, alors je lui ai donné un petit coup de coude pour la faire taire.

— Ayoye !

— Arrête ça !

Cerf argenté est revenu en courant quelques minutes plus tard pour expliquer ce qui s'était passé.

— Il va falloir trouver qui a fait ça !

Il a regardé le groupe et s'est attardé sur moi. Il savait bien que nous n'étions pas de grands chums, avec Édouardo.

— J'ai rien fait !

— Pourquoi dis-tu ça ? Je ne t'ai accusé de rien, non ?

J'avais les joues brûlantes.

— Je ne sais pas, moi. Tu me regardais, alors...

— As-tu quelque chose à voir avec ça, Écureuil argile ?

— Non !

— Tu en es bien certain? Tu sais que tous les mensonges se dévoilent, un jour ou l'autre !

— J'ai rien à dire !

— D'accord ! Quelqu'un d'autre aimerait avouer ?

Personne n'a bougé. Faon charmeur regardait ses souliers, la mine basse. C'était évident qu'elle n'appréciait pas du tout mon geste.

— Très bien ! Faucon courageux va se rendre à l'intérieur des maisons et défaire chaque lit ! Puisque personne ne veut assumer sa faute, la punition sera donc infligée à tout le groupe !

J'avais l'impression qu'il savait que c'était moi... J'étais vraiment mal à l'aise, surtout parce que je n'avais pas l'habitude de faire des choses pareilles. J'avais de la misère, soudain...

— Eh! C'est pas juste !

Ours gourmand était écœuré d'avoir à refaire son lit en entier.

— Ours gourmand ! Tu dois comprendre que chaque personne paie pour les mensonges et les actes d'un seul ! C'est souvent comme ça, dans la vie, malheureusement.

Je n'ai finalement pas réussi à dire la vérité, malgré ma honte. Faucon courageux a enlevé les draps de tous nos matelas, et Cerf argenté s'est rassis en silence. Au bout de dix minutes, Faucon courageux est revenue près du feu. J'étais vraiment nono d'avoir fait ça !

Après des minutes qui m'ont paru une éternité, car plus personne n'osait parler, Cerf argenté s'est levé d'un air solennel. Je me demandais vraiment ce qu'il allait faire... J'avais l'impression qu'un sacrifice allait se produire. Sans doute le mien, d'ailleurs, pour avoir menti tantôt. Je ne savais pas pourquoi, mais je me sentais visé, c'était plus fort que moi. J'étais vraiment en train de devenir paranoïaque!

— Ce soir est un grand soir. C'est le soir de la veillée de la pleine lune. Lune spéciale pour nous tous, lune de pouvoir féminin qui influence les comportements et l'homme dans son essence même. Ce soir, un homme vient de s'ajouter à la lune, qui devient visible sous les nuages de la nuit.

On aurait pu entendre un grillon sauter. Le temps semblait s'être arrêté en quelques secondes. Faucon courageux se tenait bien assise, les yeux clos juste à côté de Cerf, qui levait maintenant les bras au ciel. Il a commencé à chanter en langue amérindienne et un frisson m'a parcouru le dos. Les autres étaient tous comme moi. Comme des statues, la bouche grande ouverte.

— Ho ! La lune est maintenant prête à t'accueillir dans le monde des hommes, Enfant de la Terre-Mère. Les treize lunes se sont alignées dans l'immensité de l'univers pour que ton corps accepte enfin de recevoir l'âme de l'homme qui flotte autour de toi. Voici le rituel qui te guidera vers ta voie.

Cerf s'est alors dirigé vers moi et m'a forcé à me lever. Je n'en revenais pas ! Mes intuitions ne m'avaient pas trompé ! Faucon a continué le chant sacré que Cerf avait débuté. Un silence très lourd s'était fait au sein du groupe et j'ai tout à coup eu les jambes molles... Qu'allait-il me faire, au juste ?

— Je... je fais quoi ?

Cerf a déposé sa main sur ma bouche pour me forcer à garder le silence. Il a ensuite fouillé dans un sac en cuir qu'il avait toujours en bandoulière et en a sorti une espèce de petit coffre dans lequel, à ma grande surprise, se trouvait une crème rouge. Il a trempé ses doigts à l'intérieur de ce pot et m'a frotté les paumes des mains avec. Puis il m'a dessiné des cercles sur les avant-bras et sur le front, en plus de trois barres sur chacune de mes joues.

J'étais vraiment mêlé, je ne savais pas trop pourquoi… J'étais debout devant lui, en train de me faire beurrer le corps, pendant que Faucon chantait dans une langue étrange. C'est alors qu'une vibration toute spéciale a commencé à m'envahir. Je me sentais tout drôle…

— Les treize lunes de ta vie sont maintenant visibles, mon frère. Et selon la médecine ancestrale de mon peuple, tu es maintenant un homme. Un homme se doit d'être fier et courageux, mais aussi respectueux envers toutes les créatures que le Grand Esprit a mis sur sa route. Le Grand Esprit te surveille comme le faucon dans le ciel et la louve dans les bois. Chaque fois que tu sentiras le besoin de parler au Grand Esprit, il te faudra réfléchir à l'aigle courageux qui survole les plaines et les rivières à la recherche de proies pour nourrir son âme et son corps. Le Grand Esprit donne toujours le vent et le souffle pour survivre à tout, alors sois fort maintenant et sois un homme. Treize lunes se sont maintenant alignées pour toi dans l'immensité du ciel. Ce que tu appelles ta fête est en fait la transition de ton passage obligé de l'enfance à l'âge adulte. Tu deviens un homme, ce soir.

J'étais complètement bouche bée… Je n'aurais jamais pensé qu'on marquerait ma fête… et encore moins de cette façon. Je ne savais pas quoi dire, j'étais un peu ému et embarrassé d'être devant les autres…

— Tu dois maintenant faire preuve de maturité, Écureuil agile.

J'avais compris le message. Il savait ce que j'avais fait à Édouardo avec la vaseline, c'était à peu prêt certain.

— D'accord…

Cerf argenté s'est alors lui aussi tracé des barres rouges sur les joues avec ce qui lui restait sur les doigts, puis il est retourné s'asseoir sur la bûche qu'il partageait avec Faucon courageux, qui avait arrêté de chanter. Il a sur place soupiré en fermant les yeux et a ajouté :

— Nous sommes maintenant liés au sein de la grande Terre-Mère. Je t'annonce que tout ce qui est pris à la terre devra être rendu à la terre. Par chance, la treizième lune de ta vie t'a permis de connaître les coutumes sacrées de mon peuple. Montre-toi fort et digne de cette chance et du mandat qui t'est confié, à présent.

J'étais franchement ému... Louve et Emma avaient la larme à l'œil, et Corneille me dévorait des yeux. Je venais de vivre quelque chose de merveilleux. Une initiation que je n'aurais jamais crue possible pour moi. J'étais heureux. C'était un très beau cadeau de fête que Cerf venait de m'offrir. Je me suis rassis à ma place et j'ai osé prononcer un mot alors que le feu commençait à s'éteindre.

— Merci...

Cerf m'a souri et s'est levé.

— Maintenant, allez tous dormir. La nuit sera courte.

Il s'est retiré, tel un prince amérindien. J'avais peine à croire ce que je venais de vivre. C'était dans l'émotion et le sentiment... bref, difficilement explicable. Même si ça n'avait pas duré longtemps, j'avais l'impression que lui et moi, on était restés debout l'un face à l'autre pendant une éternité.

La grande aventure en forêt!

Je me sentais comme un coureur des bois!

Personne n'a reparlé de notre soirée de la veille. Chacun semblait respecter le caractère sacré de ce qui s'était passé... N'empêche que, moi, ça me trottait encore dans la tête. Je ne suis revenu à la réalité que quand j'ai installé mon sac à dos avant de partir pour l'opération de survie en forêt! Ça vous remet les pieds sur terre, tout cet attirail sur le dos! Je me sentais comme les coureurs des bois de mes livres d'histoire, casque en poils en moins, car il devait faire au moins deux mille degrés! Alors, plutôt que de faire des activités dans le lac, on nous a amenés dans les bois, au milieu des bêtes sauvages et des maringouins. Génial, hein?

Bon, je n'étais pas tout seul à en arracher. Mouffette constante marchait à l'avant et se plaignait constamment... d'où son nom totem, d'ailleurs. Cerf argenté l'avait très bien choisi!

— J'suis tannée ! C'est lourd ! J'vais me faire mal au dos !

Corneille moqueuse lui a proposé de prendre son sac à dos pendant quelques minutes. Faucon courageux a trouvé son geste admirable.

— T'es certain que tu peux porter deux sacs ?

Faucon lui a installé le sac de Mouffette sur la poitrine. Franchement, j'étais certain qu'il faisait ça juste pour impressionner Faon charmeur… et ça avait l'air de marcher, en plus. Louve aventureuse s'est approchée pour me murmurer :

— Elle est drôlement forte, notre Corneille !

— Ouais... disons qu'il a du nerf !

Je me disais que la situation avait du bon… Si Stéphanie, alias Mouffette constante, appréciait son geste, elle allait peut-être le cruiser et me lâcher !

On a encore marché pendant environ vingt minutes, puis Cerf argenté a ordonné une pause. Tout le monde était fatigué. Mouffette a fait un peu la baboune quand elle a récupéré son sac. Elle ne pensait quand même pas que Corneille moqueuse allait le porter tout le trajet ! Cette fille était vraiment un bébé lala !

Derrière moi, il y avait le groupe d'Édouardo, alias Lapin fugueur, et leurs deux moniteurs : Chien de prairie futé et Castor batailleur. C'étaient un gars et une fille dans la vingtaine qui semblaient ne pas avoir froid aux yeux. On allait sans aucun doute apprendre à les connaître dans le bois.

J'étais nerveux. Huit personnes venaient de s'ajouter à notre gangue. Ce n'était déjà pas toujours facile de vivre ensemble depuis notre arrivée… Alors de tomber à seize d'un seul coup, c'était tout un défi ! Heureusement, la pause est arrivée au bon moment.

Je me suis assis avec Corneille moqueuse, Faon charmeur et Louve aventureuse. Une chance qu'on était ensemble. Corneille avait bien des défauts mais, à ses côtés, je me sentais protégé de Lapin fugueur…

Il m'a chuchoté.

— Pis ?

— Pis quoi ?

— Comment tu trouves ton escapade en groupe jusqu'à date ?

— Bof ! Ça me stresse.

— Faut pas, mon vieux ! Je t'ai dit que je m'occupais de ton problème !

Louve aventureuse a posé sa tête sur mon épaule.

— Ah ! J'suis fatiguée !

— Ben, ne compte pas sur moi pour porter ton sac ! J'suis mort raide et on n'est même pas encore rendus !

Corneille moqueuse a profité de l'occasion pour faire son fendant :

— J'vais t'aider tantôt, moi !

J'étais en colère.

— Coudonc ! As-tu quelque chose à prouver ?

Corneille a souri en regardant Faon charmeur du coin de l'œil.

— Ben non ! C'est dans ma nature d'aider les filles en détresse !

Louve a soupiré de découragement.

— C'est correct, Corneille moqueuse ! J'suis pas encore en détresse !

C'était drôle, comme situation. J'avais Louve qui se collait sur moi d'un côté et, de l'autre, Faon qui me regardait de travers à cause de notre dernière conversation... J'étais un peu mal à l'aise. Un moniteur de l'autre groupe s'est alors levé. Lapin fugueur était derrière lui et m'a fusillé du regard. Ah, maman... je regrettais tellement ce que j'avais fait ! Je n'avais pas la couenne aussi épaisse que lui !

— Ok, groupe, on repart !

Cette marche était longue et douloureuse. Je n'aurais jamais pensé que le trajet serait si difficile. Je comprenais maintenant l'expression « survie en forêt » !

— J'en ai assez !

Louve aventureuse était épuisée. Après un bon bout de marche, on est arrivés dans un drôle de petit creux dans la forêt. Il y avait beaucoup de sapins avec des milliers d'aiguilles par terre. Ça ressemblait à un énorme coussin, sur lequel j'avais bien envie de me coucher ! Cerf argenté a mené le groupe au centre et s'est arrêté.

— Voilà ! On est enfin arrivés !

Tout le monde a poussé un soupir de soulagement.

— Mais ne vous réjouissez pas trop vite ! Notre aventure ne fait que commencer !

Faucon courageux souriait. C'était mauvais signe, ça...

— Comme vous pouvez le voir, il n'y a aucune installation ici ! Donc, vous devrez construire des toilettes naturelles, ainsi que votre abri personnel ! Pour la première tâche, vous avez déjà de l'expérience. Nous aurons besoin de deux lieux. Un pour les garçons et l'autre pour les filles. Ensuite, je vous expliquerai à tous comment construire votre refuge, qui vous servira de maison pendant ces trois jours. Bonne chance !

Exaspérée, Emma s'est tournée dans ma direction.

— Ah, non ! Pas encore les maudites toilettes naturelles !

Édouardo est alors passé derrière moi et m'a poussé du coude.

— Tu vas le regretter, espèce d'épais !

Steeve, qui se trouvait juste derrière lui, a souri avant de s'éloigner. J'avais du mal à avaler ma salive… Emma a soupiré, les dents serrées.

— Qu'est-ce que je t'avais dit ? Méchante idée, cette histoire de vaseline !

— Ok, t'as raison ! Mais c'est fait ! Là, il faut construire ces maudites toilettes. On pensera au reste après. Où est Corneille ?

— J'sais pas !

Louve aventureuse est arrivée avec un bout de bois qu'elle avait ramassé.

— Il est là-bas, en train de creuser le trou pour les toilettes !

J'étais vraiment surpris. Ce gars devait être hyperactif ! Ce qui n'était pas le cas de Mouffette constante et de Belette chercheuse… Elles ne travaillaient pas trop fort, ces deux-là…

— Je vois… Bon, ben, allons le rejoindre !

Après au moins une heure de travail, la fameuse toilette des filles était terminée. L'autre maison terminait celle des gars. Les autres groupes du camp sont bientôt arrivés avec leurs moniteurs, aussi motivés qu'une bande d'escargots à l'ail. Cerf argenté a alors pris la parole.

— Bon travail ! Je vais maintenant vous expliquer comment construire votre abri. Votre sac ne contient ni corde, ni tente, ni même de matelas !

Ours gourmand, qui se tenait à côté de moi, s'est tenu le ventre en gémissant.

— Ah ! j'ai trop faim…

Je l'encourageais de mon mieux mais, moi aussi, j'avais hâte que ça finisse, toute cette installation.

— Vous allez déterrer de petites racines qui vont vous servir de cordes pour monter votre abri. Vous serez étonnés de leur résistance ! Vous...

Mouffette constante a rouspété :

— Non mais, ça va pas ? Des racines ? Au prix que le camp a coûté à mon père, vous n'avez pas les moyens d'acheter de la corde ?

Cerf argenté s'est fâché.

— Mouffette, tu dois suivre les instructions ! Ici, nous ne sommes pas dans un salon de beauté ! Tu dois faire ce qu'on te dit !

Furieuse, elle s'est retournée en croisant les bras. Ceux de l'autre maison ont ri... Pauvre Mouffette, son problème, c'était vraiment de dire tout haut ce que les autres pensaient tout bas. À cause de ça, on la niaisait. Elle avait envie de pleurer. Je me suis approché pour la consoler.

— T'en fais pas, va, on va t'aider !

Elle a essuyé ses yeux.

— Merci, Mady.

— Chut !

— Quoi ?

— T'as pas le droit de m'appeler par mon vrai nom !

— Ah oui, c'est vrai !

Cerf argenté a haussé le ton.

— Pour faire un véritable abri, vous devez planter deux branches solides qui formeront à leur extrémité des « y ». Vous posez la branche du haut comme ceci, puis vous utilisez l'arrière de votre hachette pour enfoncer les branches dans le sol. Ah, très important. N'oubliez pas de laisser la protection de l'outil en place pour éviter les blessures, ok ?

Il a ensuite fait une démonstration avec des branches apportées par Faucon courageux.

— La branche transversale doit être assez solide pour que je puisse m'asseoir dessus. Est-ce bien clair ?

Le groupe a hoché la tête en silence, l'air pas trop sûr.

— Vous avez l'air d'une bande de poules mouillées ! Allez, remuez-vous un peu ! Avez-vous bien compris ?

Le groupe a répondu un énorme Oui. Satisfait, Cerf a souri.

Deux filles de l'autre maison se tenaient derrière moi. Elles disaient que Cerf était trop cute… Franchement ! On se serait cru dans une série américaine.

— Vous allez ensuite chercher des branches de sapin. Je vous demande de respecter la nature et de ne prendre que les branches du bas, merci ! Soyez très prudents avec la hachette, ok ? Après, lorsque vous aurez tapissé le dessus de votre abri comme ceci…

Il a fait la démonstration.

— … vous recommencerez dans l'autre sens ! C'est pour vous protéger de la pluie.

— De la pluie ?

Cette fois-ci, c'était une fille du groupe d'Édouardo qui avait posé la question.

— Oui ! Je ne vous en souhaite pas, mais ça peut toujours arriver. Ici, il n'y a pas de parapluie ! Donc, il ne tient qu'à vous de faire un abri le plus étanche possible !

Le groupe est resté silencieux, une fois encore.

— Pour plus de confort, je vous suggère de mettre des branches sur le sol, sous l'abri. Ça vous permettra de créer un matelas naturel qui éloignera les insectes et vous donnera un peu de support sous votre sac de couchage.

Maudites bibittes… Depuis que j'étais arrivé, je devais avoir au moins cinq piqûres de maringouins sur les jambes, alors que j'avais mis un pantalon.

— Je vous conseille aussi de bien choisir votre site. Vous devez prendre un endroit qui n'est pas trop en pente. Sinon, si la pluie s'en mêle, vous pourriez vous réveiller la tête dans l'eau et le ventre mouillé !

Cerf argenté s'est mis à rire, mais personne ne l'a imité.

— Allons, ne faites pas ces têtes ! Vous verrez, vous allez adorer cette expérience ! Faites juste attention à ne pas gaspiller votre eau potable . Sur votre gauche, il y a un petit étang. Mais je ne vous conseille pas de la boire, il faudra la faire bouillir au moins vingt minutes avant de la consommer, d'accord ?

Un faible Oui est monté du groupe. Ours gourmand, qui n'en pouvait plus, s'est alors exclamé :

— Cerf argenté, quand est-ce qu'on mange ? Qui s'occupe du feu ? Y a-t-il des ours ici ?

Cerf argenté l'a rassuré.

— Vous n'avez rien à craindre des ours. Nous, les moniteurs, allons nous occuper de brûler les déchets. Gardez simplement toujours votre sifflet autour de votre cou. Comme ça, en cas d'urgence, nous pourrons vous repérer très facilement. Et je vous rappelle les consignes.

Un coup, ça veut dire que vous rencontrez un danger ! Et deux coups, ça veut dire « Au secours » ! Attention, sachez que quiconque se servira du sifflet de façon inappropriée recevra la punition de sa vie et je m'en chargerai personnellement ! Quant à la nourriture, vous pourrez manger lorsque votre abri sera prêt. Pour le feu, on s'en occupe !

Ours gourmand a grogné un peu. Il pouvait heureusement vivre un peu sur sa graisse ! Mon père me disait toujours ça quand j'avais envie de manger mes bas.

— Allez, il est temps ! Montrez-nous ce que vous avez dans le ventre !

D'amour ou d'amitié...

Je me suis mis à la recherche de racines, la hachette à la main. Un vrai homme des bois, quoi ! Je crois même que si quelqu'un avait essayé de voler mes prises, je lui aurais fait subir une séance de torture ! Nous étions deux par équipe. Louve aventureuse tirait, et moi, je coupais.

Nous avions choisi de nous installer tous les deux à proximité du feu. Corneille moqueuse et Faon charmeur étaient un peu plus loin. Les deux groupes se divisaient comme avant. C'était normal, nous ne connaissions encore personne de l'autre maison. Lorsque la nuit serait tombée, on aurait sûrement le temps de faire ami-ami… et aussi d'avoir d'autres contacts avec Lapin fugueur, ce qui me rendait nerveux.

— Qu'est-ce que tu fais ? Coupe !

Louve aventureuse avait les doigts blancs à force de tirer. Je n'arrivais pas trop à couper du premier coup, car les racines étaient très résistantes.

— Mais j'essaie !

— Essaie plus fort, alors !

Louve a éclaté de rire, puis est tombée sur le derrière.

— Ah non !

C'était vraiment drôle.

— Ouais ! À ce rythme-là, il fera noir et on sera encore là-dessus !

— Ben non ! Allez, Écureuil agile ! Du nerf !

Entre deux fous rires, on a quand même réussi à ramasser une bonne quantité de racines.

— Penses-tu qu'on va en avoir assez ?

— Hum… j'pense que oui !

— Ok !

Louve aventureuse a alors commencé sa récolte de branches en « y » pour nos abris. J'aurais voulu faire un seul abri plus gros qu'on aurait pu partager, mais chacun devait avoir le sien, selon Cerf argenté.

— Eh, regarde ! J'ai trouvé un super beau «y» !

— Ouais, t'es chanceuse !

J'ai fini par en trouver un moi aussi, et ma récolte m'a mené vers le petit étang. Il était très beau, entouré de grandes plantes aquatiques. C'était pas le genre de choses qu'on voit en ville dans le parc Lafontaine !

Je ne voyais personne autour et il fallait que je fasse attention à ne pas dépasser les limites pour ne pas me perdre. J'avais en effet le sens de l'orientation en ville mais, dans le bois, c'était une autre histoire.

Je me suis mis en petit bonhomme pour regarder de plus près l'eau de l'étang. Elle était verte au bord, sûrement pour donner de la nourriture aux grenouilles. Mais bon, je ne connaissais pas grand-chose à la flore et à la faune. J'allais me relever pour poursuivre mon chemin, quand j'ai vu le reflet d'un visage.

— As-tu envie d'aller nager avec les grenouilles, Mady ?

Édouardo se tenait derrière moi, les deux mains sur les hanches. Il n'avait pas l'air de plaisanter. J'étais vraiment mal pris dans cette position.

— Qu'est-ce que tu veux ? Tu devrais aller rejoindre ton groupe !

— Le p'tit bébé à sa maman a peur ?

— Pantoute !

— C'est toé qui a mis de la vaseline sur mon oreiller, hein ?

— J'sais pas !

— Arrête de faire l'épais !

— J'sais pas pourquoi mais, quand je te vois, je deviens comme ça ! Ça doit être ton influence.

J'avais poussé le bouchon trop fort. Son visage a rougi et Lapin fugueur a commencé à trembler de rage.

— Attention, j'me retiens de t'en donner une !

— Une quoi ?

— Une claque dans ta face, épais !

— Alors, continue à te retenir, mon homme !

Je n'avais pas pu m'empêcher de faire mon baveux. Et Édouardo n'en pouvait plus. Il s'est donc jeté sur moi et m'a poussé à l'eau.

J'ai atterri la tête la première dans la vase. J'avais de la difficulté à me relever, car mes chaussures calaient à chaque pas. Édouardo a éclaté de rire devant son exploit.

— Vas-tu la fermer, ta grande boîte, Écureuil mal léché ?

J'étais pompé. Je suis sorti de l'eau en criant. Une fraction de seconde plus tard, j'étais couché à plat ventre sur Édouardo et le maintenais au sol.

— Lâche-moi, crétin !

— Non ! Tu vas te baigner, toi aussi !

— Non !

— Si !

Je l'ai attrapé par le col et j'ai roulé avec lui comme l'aurait fait un crocodile. Il m'a donné un coup de poing entre les deux yeux, mais je ne voulais pas le lâcher. Cette fois-ci, je n'allais pas m'écraser devant lui, même s'il était plus fort que moi.

— Aïe ! Lâche-moi !

— Tu vas voir, Édouardo, l'eau est bonne !

Trente secondes plus tard, on est tombés tous les deux dans le lac. Il m'a poussé pour se dégager, s'est levé et j'ai fait de même.

— Maudit épais !

— J'te retourne le compliment ! Pourquoi t'arrête pas de m'écœurer pour de bon ?

Il a souri méchamment.

— J'sais pas ! Peut-être parce que t'as une maudite face à claques !

— C'est une maudite bonne raison, en effet !

— Pt'être que t'es mon *punching ball* personnel !

— Pauvre toi ! C'est de valeur, parce que c'est fini, ce temps-là ! Tu vas maintenant frapper un mur, mon gars !

— Ahhhh ! J'ai peur !

— Tu ferais mieux d'arrêter de me niaiser !

— Bah ! Je pourrais me venger sur ta blonde, d'abord !

— J'en n'ai pas !

— Me semble que oui !

— Ouais... Pis à part de ça, y'a plus personne qui a peur de toi !

Au même moment, Cerf argenté est arrivé avec un autre moniteur, Castor batailleur. Ils avaient sans doute été alertés par mon cri d'attaque.

— Qu'est-ce qui se passe ici ?

Édouardo et moi étions face à face dégoulinants de vase et d'algues, prêts à nous battre.

J'ai ouvert la bouche en premier.

— C'est un maudit épais ! Il arrête pas de m'achaler ! C'est comme ça depuis la maternelle ! Demandez-le à n'importe qui !

— Il ment ! C'est lui qui m'a sauté dessus ! Il m'a jeté à l'eau !

Castor batailleur regardait attentivement son protégé. Il semblait douter de sa franchise. Mais le coup de cochon que j'avais fait avec la vaseline ne m'aidait pas. Édouardo avait bien compris qu'en jouant la victime, il aurait l'avantage, surtout après ce qui s'était passé la veille. Décidément, cette histoire, je m'en rappellerais longtemps.

— C'est pas vrai ! J'ai juste voulu me venger !

Cerf argenté m'a regardé dans les yeux. Son regard perçant d'homme des bois m'a donné la trouille. J'avais rarement vu des yeux aussi puissants. On aurait dit qu'il regardait dans ma tête.

— Je te crois, Écureuil.

J'ai baissé la tête.

— Je pense plutôt que vous êtes tous les deux dans le trouble !

Castor batailleur m'a pris par le bras pour me sortir de l'eau.

— Allez ! Sors !

Cerf argenté a de son côté aidé Édouardo, sans que ce dernier puisse rien ajouter. Corneille moqueuse est arrivé à ce moment-là.

— Mais qu'est-ce que vous faites, les gars ?

Je lui ai lancé un regard frustré qui en disait long. Il a compris et s'est contenté de nous laisser seuls. Cerf argenté a pris Édouardo par le col.

— Tu crois que tu vas faire ta loi ici, mon grand ?

Édouardo se tenait raide, les bras le long du corps.

— Je ne sais pas de quoi tu parles... a-t-il marmonné en le défiant du regard.

Cerf argenté lui a alors fait des yeux épeurants. Mon ennemi n'allait pas tarder à connaître le caractère de mon moniteur, pour sûr ! Je crois bien que je n'avais jamais trouvé Cerf aussi cool !

— Je te préviens ! Ici, c'est moi qui commande !

Édouardo était un peu plus calme, à présent. La rage de tout à l'heure avait fait place à un sentiment d'humiliation.

— Je te mets en garde, mon gars ! Si tu t'attaques à quelqu'un ici encore une fois, tu vas le regretter !

Lapin fugueur – ah, quel nom ! – a poussé un petit gémissement en guise de réponse. Cerf argenté l'a relâché et l'a poussé dans les bras de Castor batailleur.

— Occupe-toi de lui !

Celui-ci l'a traîné vers les installations en construction. Cerf argenté m'a alors parlé dans le blanc des yeux :

— Depuis combien de temps est-ce que ça dure ?

Le stress faisait trembler ma voix.

— Depuis l'école maternelle !

Cerf argenté a poussé un soupir.

— Nom d'un chien. Tu ne dois plus endurer ça ! À la moindre menace, tu m'avertis, ok ?

— Hum...

Il m'a tenu par les épaules.

— Mais tu ne dois pas le provoquer ! Je savais depuis le début que tu étais derrière le coup de la vaseline !

Je me suis senti mal.

— Comment l'as-tu su ?

— Avant le début du camp, ton père m'a écrit une lettre pour m'expliquer ton problème avec Édouardo. Je sais tout et j'espère pouvoir vous aider à vous rapprocher tous les deux.

— Quoi ?

Mon père était donc intervenu sans que je le sache. Je n'en revenais pas.

— Oui, parfaitement !

— Tu rêves ! Je veux pas avoir à faire avec lui !

— Fais-moi confiance, Écureuil !

J'avais du mal à comprendre ce que Cerf argenté voulait au juste... Je n'étais pas convaincu que ce soit une bonne chose que nous soyons réunis dans le bois. J'avais peur et j'étais loin de trouver une solution. J'ai baissé les yeux en hochant la tête. C'est le maximum que je pouvais faire pour le moment.

— Bon, suis-moi. Il va falloir que tu te sèches et que tu t'y mettes ! Ton abri ne se fera pas tout seul !

Un dîner plutôt spécial

On était tous réunis autour du feu. Édouardo était assis à côté de son moniteur, qui le tenait à l'œil. J'étais brûlé et n'étais pas le seul dans ce cas. J'avais raconté à mes amis ce qui s'était passé. Corneille moqueuse n'en revenait pas, Faon charmeur était nerveuse à l'idée d'une vengeance possible de notre ennemi, et Louve aventureuse découvrait mon côté courageux.

Avec leur aide, j'ai réussi à finir mon abri avant le dîner. Les moniteurs ont distribué de drôles de petits sacs blancs. On aurait dit une enveloppe de patates en poudre. Le feu était assez gros et mes chaussures, ainsi que celles de mon ennemi, se faisaient chauffer la couenne autour.

Faucon courageux s'est levée et a expliqué comment se servir de cette mystérieuse enveloppe.

— Bon, c'est simple ! Vous n'avez qu'à déposer cette enveloppe de rationnement sur la braise juste ici ! Ça va prendre environ quinze minutes, et vous aurez ensuite un repas digne d'un grand chef !

Elle a éclaté de rire et a ajouté :

— Enfin, disons d'un petit chef !

Sur le sachet, il était écrit « bœuf bourguignon ». Ça n'avait pas l'air trop pire ! Louve aventureuse a placé son enveloppe à côté de la mienne.

— On va se promener en attendant que ça cuise ?

Je n'étais pas trop ravi de sa proposition avec tout ce qui venait de m'arriver, mais j'ai accepté. De toute façon, on n'était pas les seuls à s'éloigner du feu.

— Ok ! Mais il faut que je remette mes espadrilles avant !

— Ok ! Allons par là-bas !

Emma, alias Faon charmeur, nous a regardés nous éloigner avec un air sérieux. Il fallait vraiment que nous soyons séparés pour le moment. Nous avions de la difficulté à nous comprendre, tous les deux. Pourtant, elle avait l'air plus ou moins heureuse quand je me retrouvais seul avec Louve aventureuse. Quoi, elle sortait d'un côté avec Corneille moqueuse et, de l'autre, elle ne voulait pas que je l'oublie ? Les filles sont tellement compliquées parfois !

Louve m'a entraîné dans le sous-bois, un peu plus loin du groupe.

— Tu fais quoi ?

— Ben rien ! Je voulais juste te montrer les champignons ! Je les ai déjà vus quand je cherchais mes branches !

— Ah !

Elle avait les joues rouges, et mon cœur a commencé à battre plus vite.

— Je voulais que tu les voies… et aussi je voulais être un peu seule avec toi !

— Ah ! Pourquoi ?

Il fallait encore que je fasse mon innocent. Quel niaiseux je devais faire !

— Pour ça !

Elle s'est alors approchée de moi et, après m'avoir pris le bout du visage dans ses mains et avoir plongé ses grands yeux dans les miens… elle m'a embrassé. Instinctivement, je l'ai serrée contre moi pour profiter au maximum de ce moment magique. Elle sentait super bon et sa bouche était comme sucrée. Et puis, ses grands cheveux bruns étaient si doux que je ne me lassais pas de les caresser.

J'ai eu l'impression que le temps s'arrêtait et ai cru sortir d'un rêve quand elle a arrêté son baiser. Je ne savais vraiment pas quoi dire d'intelligent, là...

— Oh, c'était donc ça !

— Quoi ?

Elle a reculé, un peu gênée par ce qu'elle avait fait, je crois. J'ai réagi en lui prenant la main pour la retenir.

— Ben... je sais pas... je suis surpris, c'est tout !

Elle a éclaté de rire et s'est à nouveau serrée contre moi. Que c'était bon ! Je comprenais maintenant mieux ce que papa et Julie devaient sentir quand ils étaient ensemble. On est restés comme ça, collés sans bouger, pendant ce qui m'a paru quelques secondes. Et puis là, tout à coup, Louve m'a lâché la main et est retournée en direction du feu de camp après m'avoir lancé un regard super séducteur. Et voilà que je me retrouvais encore seul !... Ah, les filles ! Je ne savais pas trop ce que ce baiser voulait dire. Enfin... je suis revenu sur mes pas, tout chamboulé.

Louve aventureuse m'a souri en me remettant mon enveloppe toute chaude entre les mains.

— Aïe !

— Attention ! Tu dois la prendre par un coin, nono !

C'était bien une fille ! Un instant, elle te donne un smack puis, celui d'après, elle te traite de nono et te brûle volontairement ! Je me suis rapproché d'elle et on a ouvert notre enveloppe en même temps.

— Hum…

— Ç'a l'air bon, hein ?

— Ouais...

En face de nous, Ours gourmand grattait déjà le fond de son enveloppe en cherchant désespérément un peu plus de viande.

— Ah ! Y'a rien, là-dedans !

Nous avons éclaté de rire et avons dévoré notre portion. Louve aventureuse n'arrêtait pas de me regarder en me faisant des petits sourires… Ah, c'était pas si dur que ça, finalement, la vie d'aventurier !

Première après-midi dans les bois

Castor batailleur, un moniteur de l'autre maison, s'est levé et a commencé à rassembler tout le monde. C'était lui qui m'avait sorti de l'eau tout à l'heure.

— Bon ! Pour ceux qui ne me connaissent pas, je m'appelle Castor batailleur ! Je suis le chef de l'équipe des garçons ! Je vous présente ma collègue Chien de prairie futé ! Nous sommes de bons farceurs !

Tous ceux de leur groupe se sont mis à rire. Je me demandais ce que ça voulait dire... Il me semblait que Cerf argenté et Faucon courageux étaient déjà assez tannants, merci !

— Nous avons décidé d'organiser une activité bien spéciale !

Chien de prairie futé a continué :

— Je peux enfin organiser une vraie activité avec plusieurs enfants ! C'est la première année que je suis ici, et je trouve qu'un groupe de huit, ce n'est pas assez. Alors qu'à seize, on va bien s'amuser ! Vous êtes d'accord ?

On a entendu un Oui innocent dans l'autre groupe. Je ne savais plus trop quoi penser. C'était qui, cette fille-là ? Chien de prairie futé... Avec un nom comme ça, elle n'avait pas l'air très brillante. Louve aventureuse m'a donné un petit coup de coude et m'a fait un clin d'œil.

— Si on doit se mettre en équipe, j'aimerais beaucoup être avec toi, Écureuil agile, m'a-t-elle murmuré.

— Ah, t'en fais pas, ça va me faire plaisir d'être dans ton équipe !

Mouffette constante avait entendu notre conversation. Elle n'appréciait pas du tout ce rapprochement entre Louve aventureuse et moi.

— Mais qu'est-ce que ça veut dire, Mady ? Tu veux plus être avec moi ?

Elle me tombait vraiment sur les nerfs... et ne semblait vraiment pas comprendre la situation !

— Mouffette, tu ne peux pas arrêter deux minutes ? Tu n'as même pas le droit de m'appeler par mon prénom ici ! Ça fait plusieurs fois que j'te le dis ! On est dans un camp de vacances, au cas où tu ne l'aurais pas encore remarqué !

Chien de prairie futé nous a regardés avec de gros yeux. Elle n'appréciait pas que l'on parle en même temps qu'elle. Mouffette a fait un air piteux digne de ses talents d'actrice. J'ai fait semblant de ne rien voir et me suis concentré sur le discours de la monitrice.

— Bon, les enfants ! Nous avons organisé le reste de la journée d'une façon spéciale. Nous allons jouer à « accroche ta branche » !

Je vous explique : par équipes de quatre, vous allez construire un trajet dans les arbres, dans les limites que nous allons vous donner !

— Pourquoi ?

De l'autre côté du cercle, Édouardo faisait son malin. Fâchée, Chien de prairie futé l'a regardé.

— Pour que tu ne passes pas ton après-midi à niaiser avec tes chums !

Le reste du groupe a ri. Elle a continué à expliquer le jeu.

— Je propose que vous restiez dans vos maisons pour les équipes. Ça sera plus simple et on pourra commencer plus vite !

Cerf argenté a ajouté.

— Est-ce qu'il y a quelqu'un qui ne sait pas se servir d'une hachette ?

— Vous feriez bien de surveiller votre Écureuil agile. Je me sens pas rassuré de savoir qu'il va manipuler ça ! a déclaré Édouardo.

Je voulais tellement le mettre en boîte ! Faon charmeur m'a calmé en mettant sa main sur mon épaule.

— Laisse tomber, il n'en vaut pas la peine !

Cerf argenté, lui, l'a fusillé du regard. Lapin fugueur a souri méchamment en soutenant son regard.

— Je vais vous faire une démonstration ! Et je ne veux surtout pas entendre de commentaires négatifs ! C'est compris ?

Le groupe a hoché la tête silencieusement. C'était clair que Cerf argenté inspirait plus de respect que Chien de prairie futé. De toute façon, avec un nom pareil, il ne fallait pas s'attendre à grand-chose.

— Vous mettez une branche en avant, ensuite vous enlevez vos mains et vos pieds et bang ! C'est pas plus compliqué que ça !

Impressionné par sa force, le groupe a fixé Cerf argenté. Les filles semblaient toutes amoureuses de lui et les autres moniteurs le respectaient. J'étais donc fier de mon moniteur ! Louve aventureuse s'est approchée de Cerf et a levé la main.

— Euh... comment on fait pour attacher les branches ? C'est pas évident ! On n'a pas de corde !

Cerf argenté a souri.

— On ne va quand même pas vous laisser tout faire avec des racines ! On vous a apporté des rouleaux de corde.

Lapin fugueur s'est plaint.

— Coudonc, vous aviez de la corde depuis tantôt, pis vous nous avez fait arracher des racines à la main ! Est-ce que c'est un camp d'esclaves, ici ! J'ai les doigts tout grafignés !

Même si Édouardo n'était pas mon chum, j'étais d'accord avec lui. Décidément, on n'était pas au bout de nos surprises avec cette gangue de moniteurs...

— Cerf argenté, donne-moi la corde !

Chien de prairie futé avait décidé de prendre les choses en main. Elle a ramassé un billot et est allée vers l'arbre le plus proche pour faire une démonstration.

— Voilà... Vous attachez la corde comme ça et, ensuite, vous faites un nœud en huit. C'est pas plus compliqué que ça, les amis !

— On peut commencer ?

Louve aventureuse avait vraiment envie de faire l'activité. Moi, je fixais Lapin fugueur et ça me donnait mal au ventre... Peut-être que je m'inquiétais trop...

Cerf argenté m'a donné un rouleau de corde et m'a indiqué le groupe d'arbres que je devais attacher. Ça n'était pas sorcier, semblait-il.

Je suis parti avec mon groupe... Corneille moqueuse nous suivait avec son air malicieux.

— Ton Édouardo, pis son chum...

— Hum... ouais.

— On pourrait leur faire une bonne blague ?

— Ah non ! Après la vaseline, j'ai eu ma leçon !

Louve a poussé Corneille dans le dos.

— Hé ! Mets-y rien dans la tête, toi !

— Ben non... Je disais juste qu'on aurait pu s'amuser un peu...

— J'pense plutôt qu'on ne devrait plus l'achaler.

Corneille moqueuse s'est appuyé contre un arbre. Il chuchotait, car Édouardo était à peine à vingt mètres de nous.

— On pourrait les faire tomber sur le...

Louve aventureuse s'est emparé de sa hachette.

— Veux-tu bien arrêter tes niaiseries ?

— Ah, ok ! Vous êtes ben pissous ! Juste un peu de vaseline, pis c'est fini, c'est ça ?

— Ben oui ! On arrête ça là !

Louve m'a fait un clin d'œil et j'ai rougi malgré moi. Résigné, Corneille a soupiré et m'a donné un bout de bois à attacher. Tout le monde semblait avoir du plaisir à faire l'activité. Louve aventureuse s'est exclamée :

— J'pense que ça va être ben le fun, ça !

— Quoi ça ? a demandé Faon charmeur.

— Ben, « accroche ta branche » !

— Bah ! Peut-être...

Corneille moqueuse a souri en imitant son animal totem pour faire rire les filles.

— Ouais, on va bien se marrer ! ai-je ajouté.

Accroche-toi à ta branche!

Après une bonne trentaine de minutes, Corneille moqueuse a commencé à chialer.

— Ça serait pas mal mieux si vous acceptiez qu'on s'amuse un peu !

Il avait raison, mais je n'avais pas le courage de faire un autre mauvais coup à Édouardo.

— Non, mais t'as la tête dure, toi !

— Allez, dis oui ! Juste une petite farce ! On va le laisser tranquille après.

— Ah ! Arrête !

Intéressée, Faon charmeur s'est retournée après avoir attaché la dernière branche de notre parcours.

— C'est quoi, au juste, ton plan ?

Faon me surprenait. Elle osait s'en prendre à Lapin fugueur.

— Tu fais quoi ?

— J'affronte le problème !

— Ben voyons donc !

Faon s'est mise sur la pointe des pieds pour admirer son nœud.

— Je veux que ça finisse…

— Ben… si tu veux avoir la paix avec Lapin fugueur, tu ferais mieux de t'y prendre autrement !

Elle a dit à Corneille moqueuse, sans m'écouter :

— Qu'est-ce qu'on fait ?

Il était tout excité.

— Quand son équipe va se diriger sur les branches, on va faire une petite incision dans la corde juste ici…

Louve aventureuse s'est offusquée :

— Ben, nous autres, on n'a pas rapport là-dedans !

— Et si quelqu'un se blesse ? ai-je ajouté.

— Voyons donc ! Une petite égratignure sur l'orgueil, ce sera ben le pire qu'ils auront!

— Écoute, Corneille… je ne veux pas être associé à ça.

— Comme tu veux ! De toute façon, je vais le faire avec Faon.

— Ouais !

Je ne reconnaissais plus Emma. Elle avait changé et je n'arrivais pas à comprendre pourquoi. Ah, les filles… Ça faisait plus de treize ans que je vivais avec ma mère et je ne la comprenais pas encore, alors pourquoi chercher…

Corneille moqueuse s'est arrêté pour expliquer son plan, et je me suis éloigné pour ne pas savoir ce qu'il mijotait. Louve aventureuse m'a suivi et nous nous sommes assis sur une grosse roche, un peu en retrait.

— Tu trouves pas que ça va trop loin ?

— Je sais pas… Tu sais, il nous a pas mal achalés à l'école.

— Mais là, il pourrait se blesser, non ?

— Oui, je sais…

— Et ?

— Ben, ça m'est égal…

Elle regardait en face d'elle en remuant une branche de sapin entre son pouce et son index.

— C'est pas dans mes valeurs de faire du mal aux autres, même s'ils sont bêtes !

— Moi non plus...

— Alors ?

— Ben... ne compte pas sur moi pour avertir les moniteurs.

— Je ne voulais pas en arriver là...

— Alors, laisse tomber, Louve aventureuse.

Douloureuse traversée...

Tous les groupes et les moniteurs avaient terminé leurs travaux d'assemblage. Le moment était venu d'essayer le parcours. Vingt arbres avaient été attachés pour le trajet. Cerf argenté a divisé les groupes en équipes de deux et Édouardo s'est évidemment mis avec son chum Steeve. Le pire scénario possible, quoi. Mais Corneille moqueuse et Faon charmeur avaient hâte de les voir tomber à la fin du parcours, puisque leur équipe était la dernière à passer.

Corneille moqueuse a été le premier à traverser. Ça avait l'air le fun. Les autres se sont regroupés sur le côté des arbres pour l'encourager. Il fallait faire le parcours le plus rapidement possible. Le meilleur temps gagnerait le droit d'avoir une longueur d'avance sur l'activité du lendemain.

Cerf argenté a appuyé sur son chronomètre en criant :

— Cinq minutes dix secondes ! Ce sera dur à battre !

Lapin fugueur a bougonné derrière le groupe qui attendait en file. Il a murmuré à l'oreille de Steeve, qui a éclaté de rire.

— Louve ?

— Quoi ?

— T'as vu ?

— Non. Quoi ?

— On dirait que Lapin prépare quelque chose.

— Ben non, tu capotes !

— Ouin… peut-être…

J'étais quand même inquiet. Avec lui, il fallait s'attendre à tout. Au bout de quelques minutes, je me suis aperçu que je n'avais pas besoin d'avoir peur, car il n'était rien arrivé. J'ai fini mon tour en quatre minutes deux secondes, le record à battre ! Mais quand j'ai touché terre, j'ai cherché Édouardo du regard, et je ne l'ai pas vu. Où était-il ? Il est alors revenu en courant. Peut-être était-il allé aux toilettes ? J'étais plutôt stressé !

— Félicitations, mon vieux ! a dit Cerf argenté en me donnant une tape dans le dos.

— Je… ben… merci !

J'allais rejoindre Louve aventureuse quand j'ai vu Corneille moqueuse passer son canif sur la corde qui tenait la dernière planche. Il avait fait le tout super vite, en vrai pro. Personne ne s'en était aperçu quand Lapin fugueur est monté sur les branches. Il allait tomber d'un moment à l'autre. Les groupes criaient et l'encourageaient… Puis, le tout s'est passé au ralenti. Le pied de Lapin s'est courbé dangereusement quand la dernière branche s'est détachée. Dans un spectaculaire triple saut digne de la meilleure patineuse, il a plongé tête première dans la terre battue et les roches… et s'est relevé super rapidement ! Tout le monde a quand même éclaté de rire. Cerf argenté a levé la main en poussant un grand cri qui a ramené le silence.

— Ça va ? lui a-t-il demandé en courant vers lui.

Il a dépoussiéré Lapin fugueur, mais ce dernier l'a repoussé violemment.

— Arrête ! J'suis sûr que tu trouves ça drôle, toi aussi !

— Arrête ton cinéma ! T'en fais trop, Lapin fugueur !

— Laisse faire ton nom totem à la noix! Je m'appelle Édouardo! Et le comique qui a osé couper la corde va le regretter!

Cerf argenté était aussi surpris que le reste du groupe. Édouardo s'est tourné vers moi et a chargé comme un taureau. Le moniteur l'a attrapé juste à temps avant que je reçoive un coup de poing sur le nez.

— Lâche-moi! C'est lui qui a coupé la corde! Je le sais!

Je ne savais plus trop comment réagir. Corneille moqueuse a alors éclaté de rire et Édouardo a dit comme un enragé:

— Toi, sale maudite Corneille! J'vais t'arracher la tête!

— SILENCE!

Le cri de Cerf argenté était si fort qu'on a entendu son écho dans les bois.

— Calme-toi!

Il a lâché Édouardo, qui m'a craché au visage. C'était la pire des insultes, alors que je n'avais rien fait.

— Lapin fugueur et Écureuil agile! Et vous!

Il a pointé Louve aventureuse et Corneille moqueuse.

— Vous allez être inséparables demain ! Vous ferez équipe dans la dernière activité du camp de survie. Vous ferez votre thérapie dans le parcours d'orientation !

— Le quoi ?

— Vous avez bien compris ! Vous allez faire équipe tous les quatre. Vous devrez vous rendre au camp Bear Town par vos propres moyens !

— Mais qu'est-ce que j'ai à faire là-dedans ?

Louve aventureuse était scandalisée.

— Tu seras la médiatrice ! Ils auront besoin de toi !

— Mais !

— C'est ainsi ! Il n'y a rien à ajouter ! La survie en forêt prend fin demain après-midi !

Une autre fille que je ne connaissais pas a osé lever la main.

— Mais on devait rester trois jours dans les bois, non ?

Chien de prairie futé est intervenue :

— On vient juste de m'avertir qu'une tempête se prépare. Nous rentrerons donc plus tôt.

Elle a montré son *walkie-talkie* pour appuyer ses mots. On entendait des murmures dans le groupe. Édouardo serrait les poings.

Cerf argenté a coupé la parole à Chien de prairie futé, en nous regardant tous attentivement.

— Bon, je vais continuer, si tout le monde peut reprendre son calme. Vous aurez besoin de la trousse du parfait débrouillard. Elle va contenir des sacs à ordures pour mettre vos déchets loin des ours, une collation à haute teneur énergétique, un sifflet et un canif pour vous aider dans les broussailles. La boussole est bien importante ! Il y a aussi une couverture, un petit miroir, de la lotion insectifuge, de la crème antiseptique et des *plasters*. Des questions ?

Personne n'a répondu.

— Bien. Nous allons distribuer le tout autour du feu, ce soir. Vous partirez à intervalle d'une heure, afin de ne pas vous croiser. Vous devrez travailler en équipe pour rentrer au camp en toute sécurité.

Cerf argenté a posé sa main droite sur l'épaule d'Édouardo, qui l'a repoussée.

— Pour l'instant, veuillez prendre vos affaires et ramasser du bois sec pour le feu de ce soir, la petite fête est finie !

Édouardo est parti vers son abri avec son chum Steeve. Emma m'a regardé, l'air coupable.

Elle savait bien que je n'avais rien à voir dans tout ça.

— Je m'excuse...

— Pff ! C'est pas toi qui vas devoir faire équipe avec lui !

Corneille moqueuse a croisé les bras.

— Voyons donc, ce n'est pas si pire que ça ! S'il ne veut pas avancer, on le laissera derrière !

— Très drôle !

J'étais en colère. Et Louve regardait Corneille avec des yeux méchants.

— Écureuil a raison ! Regarde où tout ça nous a menés ! T'es stupide, Corneille !

— Ok, bande de pissous ! Calmez-vous !

— Maudit niochon !

Louve aventureuse s'est dirigée vers notre abri. Elle ne voulait plus parler à Corneille moqueuse pour le moment. Faon charmeur a tenté de s'expliquer, mais Louve n'a rien voulu savoir. Alors elle m'a regardé, suppliante.

— Fais quelque chose, Mady, s'il te plaît...

J'ai secoué la tête pour dire Non et j'ai suivi Louve. J'étais triste. Ce camp de vacances embrouillait de plus en plus ma relation avec Emma. Finalement, ce n'était pas le plus bel été de ma vie, c'était l'enfer dans les bois !

Une nuit mordante...

Bien calé dans mon sac de couchage, je faisais le point sur les instructions de Cerf argenté.

— Tu sais comment ça fonctionne, une boussole ?

Louve aventureuse la retournait et l'éclairait avec sa lampe torche.

— Oui. J'ai bien écouté tantôt et j'pense que ça va être correct. Aïe ! Ça me pique partout !

J'avais tout mon corps qui me grattait. C'était vraiment intense.

— Comment ça ?

— J'sais pas, moi ! Regarde avec ta lampe de poche !

— Es-tu sérieux ?

— Ben oui ! Ça pique, j'te dis !

Elle a éclairé l'intérieur de mon sac pour découvrir qu'il était rempli d'une petite poudre blanche.

— C'est quoi, ça ?

— J'sais pas, mais on dirait de la poudre à gratter !

Elle m'a aidé à me lever et a retourné mon sac à l'envers. Caché derrière les arbres, j'ai changé mon pyjama, et j'ai poussé un soupir de soulagement. Ouf ! C'était moins pire !

— Qui a bien pu faire ça ?

Je revoyais quelqu'un revenir à la course cet après-midi quand je finissais le parcours... C'était évident, maintenant.

— Lapin fugueur, bien sûr !

Louve aventureuse a semblé agacée.

— Il a le dos bien large, ce gars !

— C'est lui, j'en suis certain !

— Ça pourrait être Corneille moqueuse pour se venger de notre refus, non ?

— J'pense pas, non !

— Si, c'est possible. Il arrête pas de faire des mauvais coups !

— En tout cas, le mal est fait ! J'ai le dos à vif !

Louve aventureuse a fouillé dans son sac à dos.

— Je dois bien avoir de la crème à mains là-dedans ! Ah, en voilà ! Tiens !

Elle m'a tendu le tube et je me suis badigeonné comme j'ai pu. Finalement, je devais avouer que ce soir, je me sentais bien loin de ma mère. Demain promettait d'être un véritable enfer...

— Une chance que t'es là, ai-je dit à Louve en lui remettant son tube.

Elle a éclairé son menton avec la lampe torche. On aurait dit la femme de Dracula.

— Oui ! Mais j'ai un horrible caractère, hé hé !

— Ouais... j'ai peur !

J'ai eu une petite pensée pour Faon charmeur, qui aurait sûrement préféré être à la place de Louve aventureuse pour demain. Je me demandais d'ailleurs pourquoi Cerf argenté l'avait écartée. Il l'avait sans doute fait volontairement, car il savait qu'Emma avait des problèmes elle aussi avec Édouardo.

— Tu penses à quoi ?

— J'suis inquiet.

Le silence a plané sous nos abris en branches de sapin. On entendait des petits rires et des chuchotements provenant des autres refuges.

— Inquiète-toi pas, va.

— Ouais... Je ne suis pas du tout rassuré.

— Cerf argenté ne va quand même pas nous laisser seuls, je veux dire vraiment seuls !

J'en doutais. Cerf argenté était un vrai dur, un vrai Amérindien, un vrai homme des bois. Il se disait sûrement qu'apprendre à la dure serait plus profitable pour nous.

— Peut-être…

Louve aventureuse a éteint la lampe torche.

— Ben oui… Tu verras, c'est une question de sécurité… Bonne nuit !

— Bonne nuit…

Ce soir-là, le sommeil a été long à venir. Quelque chose me disait que j'allais me rappeler ce séjour dans les bois toute ma vie.

Le grand départ…

On avait tous rangé nos affaires dans nos sacs. Je pliais le dernier morceau de linge qui restait en chialant. Louve aventureuse, qui en avait marre de m'entendre me plaindre, m'a dit :

— Tout va bien aller, Écureuil ! Lapin fugueur ne va quand même pas t'arracher les yeux, pis la langue ! On va être avec toi !

— Justement ! Corneille moqueuse va aggraver les choses !

— Bon…

Elle m'a aidé à mettre mon sac sur mon dos.

— Aïe !

— Quoi ?

J'avais le dos en feu.

— Tu me niaises ?

— Oups ! J'y pensais plus, moi ! Excuse-moi !

— Ok… C'est parce que ça fait mal.

— Scuse…

Cerf argenté a sifflé pour nous rassembler. Avant de partir, Emma m'a attrapé par le bras.

— Mady !

— Quoi ?

Elle m'a pris par les épaules. Je crois bien qu'elle n'avait jamais été aussi sérieuse.

— Promets-moi une chose.

— Euh... oui...

— Prends pas tout ce qu'Édouardo te dira à cœur ! Il voudra t'énerver, te provoquer et je sais pas quoi encore, tu le connais.

— Je sais tout ça... pourquoi tu m'embêtes ? C'est de ta faute et de celle de ton nouveau chum, tout ça !

Emma s'est redressée, fâchée.

— Mon nouveau chum ?

— Oui, t'as bien compris, Miss parfaite ! Je suis tanné de vos histoires !

Les larmes lui sont montées aux yeux.

— Je t'ai dit que je m'excusais !

— Ben fallait y penser avant ! À cause de ton sale caractère, je vais passer un mauvais quart d'heure ! Tu diras à ma mère que je l'aimais, ok ?

— Mady, arrête de niaiser !

— C'est ça !

Je l'ai repoussée du revers de la main et j'ai rejoint Louve aventureuse et Corneille moqueuse. Cerf argenté a désigné les chefs d'équipes et a donné les dernières consignes.

— Vous devrez suivre le sud-ouest pour vous rendre au camp. Vous devriez l'atteindre en moins de deux heures. Nous ferons partir les quatre équipes avec une heure d'intervalle...

Il a consulté sa montre et a obtenu un hochement de tête de la part de Faucon courageux, Castor batailleur et Chien de prairie futé.

— Il est neuf heures, et la dernière équipe partira à midi ! Nous serons tous au camp pour la fin d'après-midi, c'est d'accord ?

Louve aventureuse a avalé sa salive avec difficulté. L'heure de notre départ avait sonné. Nous étions la première équipe à partir. Cerf argenté s'est penché vers Lapin fugueur, qui a croisé les bras d'un air buté.

— Lapin ! Tu auras en charge la boussole ! J'espère que tu m'as bien écouté hier soir lorsque j'ai expliqué son fonctionnement.

Mon ennemi s'est emparé de l'objet en marmonnant. Cerf argenté a répété :

— Tu seras responsable du chemin de ton équipe, alors j'espère que tu prendras les bonnes décisions ! Bon, suivez votre guide, Louve, Corneille et Écureuil…

Lapin fugueur, alias Édouardo l'enragé, a commencé à marcher d'un bon pas sans regarder en arrière. Je l'ai suivi avec regret, ainsi que Corneille moqueuse et Louve aventureuse. Mes amis marchaient derrière moi, mais je me sentais terriblement seul.

Lapin regardait de temps à autre sa boussole et ne parlait pas du tout. J'étais surpris, parce que je ne m'attendais pas à ce silence de sa part. On a marché comme ça pendant au moins une demi-heure, le quart du trajet. Soudain, il s'est arrêté.

— On va stopper un peu…

Corneille moqueuse s'est approché, un sourire en coin.

— Qu'est-ce qu'il y a ? T'es fatigué ? T'as pas l'air d'être habitué à travailler fort !

— Arrête !

J'avais la main sur le bras de Corneille pour qu'il arrête de niaiser, parce que le visage d'Édouardo virait déjà au rouge.

— Pauvre débile ! T'en as pas fait assez encore, tu veux te battre ?

Corneille moqueuse a laissé tomber son sac à dos.

— Et pourquoi pas ?

Louve aventureuse a crié.

— Écureuil, fais quelque chose !

Mais qu'est-ce que je pouvais faire, moi qui avais les bras à peu près gros comme des cuisses de poulet ?

— Mais… qu'est-ce que vous faites ?

C'est tout ce que j'avais trouvé à dire… Lapin fugueur s'est jeté sur Corneille moqueuse, et la boussole a volé dans les airs.

— Louve, écarte-toi !

J'ai essayé de séparer les deux gars, mais j'ai reçu dans la mêlée un coup de poing sur le nez. La douleur m'a éloigné, et j'ai trébuché sur une racine.

Corneille a alors donné un coup de tête dans le ventre de Lapin, qui s'est plié en deux.

— T'es rien qu'un pauvre baveux !

Accoudé à un arbre, Lapin fugueur tentait de retrouver son souffle. Et de mon bord, je saignais du nez et je voyais des étoiles. Louve aventureuse s'est exclamée :

— Ça suffit, bande de niaiseux ! Où est la boussole ?

L'écho de sa voix a résonné dans la forêt. Louve a poussé Lapin et a ramassé les débris de la boussole sur une roche. Ses mains tremblaient de rage, et je pouvais sentir ma peur augmenter.

— Comment on va faire pour se rendre au camp, maintenant, pauvre débile ?

Lapin fugueur a ri.

— On va tous crever ensemble, alors…

Corneille moqueuse s'est avancé pour le frapper à nouveau, mais je me suis interposé.

— Arrête ! Tu vois bien qu'on a un gros problème !

Surpris, Corneille s'est retourné.

— Donne-moi ça !

Il a tendu la main vers Louve aventureuse, qui tenait les restes de la boussole.

— Donne-la-moi, je vais la réparer !

Lapin fugueur a éclaté de rire.

— Espèce d'épais !

Corneille moqueuse l'a dévisagé.

— Toi, tais-toi !

— Wooooh !

J'étais vraiment en colère. On était au fond des bois, sans savoir le chemin à prendre pour retourner au camp. Et en plus, sans boussole et sans ressources, enfin presque…

Que faire ?

Il fallait absolument que je trouve une solution. Louve aventureuse me regardait, suppliante, pendant que Corneille moqueuse fixait notre rival adossé à un arbre. En soupirant, j'ai pris la boussole dans mes mains.

— Hum… Je crois qu'elle est vraiment cassée…

— Non, c'est vrai ? J'avais pas remarqué !

Louve l'a poussé.

— Franchement ! C'est de ta faute si on n'a plus rien pour se diriger ! Si t'avais pas causé du trouble, on en serait pas là !

J'étais surpris de voir Édouardo garder le silence. Il regardait par terre en se frottant le ventre… Corneille moqueuse lui avait donné un sale coup de tête. J'ai levé la mienne et me suis redressé pour m'étirer un peu et m'essuyer le nez sur ma manche.

— Qu'est-ce que tu fais ? a demandé Louve aventureuse.

— Je m'étire !

— Pourquoi ? Penses-tu que c'est le moment ?

— Eh bien moi, j'ai décidé de prendre ça cool ! Il ne doit pas être bien plus tard que dix heures du matin. Il va bien y avoir d'autres équipes qui vont passer par ici. Alors, on partira avec elles lorsqu'elles nous croiseront !

— Ouin… t'as peut-être raison.

Louve aventureuse s'est détendue et s'est assise sur une roche, pour ensuite mettre sa tête sur ses genoux. Elle a poussé un soupir de découragement.

— Je déteste les survies en forêt !

Corneille moqueuse s'est retourné pour n'avoir personne en face de lui. Il avait vraiment un sale caractère. Ce ne serait pas aujourd'hui qu'on obtiendrait des excuses.

De mon côté, je regrettais d'avoir mis les pieds dans ce foutu camp. J'avais beau essayer de voir le bon côté des choses, on était vraiment coincés. Il ne me restait plus qu'à m'asseoir moi aussi et à attendre les secours.

Je jouais avec les restants de la boussole depuis un bout de temps, quand Lapin fugueur a commencé à faire des siennes. Il a ramassé son sac à dos pour reprendre la route. Je me suis redressé et les deux autres m'ont imité.

— Qu'est-ce que tu fais ?

— Je vais marcher jusqu'au camp, pardi !

— Tu veux rire ? C'est trop dangereux ! Tu pourrais te perdre, sans boussole ! Les autres ne vont pas tarder à arriver, j'en suis certain !

— Pff ! Ça doit faire une heure qu'on est plantés là ! Ils vont pas passer par le même chemin, je le sens.

— Comment ça ? Pourquoi ils iraient ailleurs ?

Lapin fugueur s'est retourné.

— On les aurait entendus, c'est certain...

Louve aventureuse s'est approchée.

— Pas nécessairement. Il y a beaucoup d'arbres ici, c'est très dense.

Lapin l'a écoutée, en silence pour une fois. Il commençait à réaliser la gravité de la situation, je crois.

— On devrait attendre au moins une autre heure. Ensuite, si ça ne fonctionne pas, on pourra tenter de retrouver les autres, a proposé Corneille moqueuse.

J'avais du mal à m'imaginer marchant dans la forêt à la tombée de la nuit...

— Non ! On ne doit pas s'enfoncer dans le bois comme ça ! C'est certain qu'on va se perdre, et...

— Espèce de pissou ! a déclaré Lapin fugueur.

Qu'est-ce que je pouvais ajouter ? Il allait continuer à m'achaler et ça n'aurait plus de fin. J'ai donc refusé d'entrer dans son jeu et j'ai regardé Louve aventureuse droit dans les yeux.

— Tu crois qu'on ferait mieux de repartir ?

— Je sais pas, mais une chose est sûre, on pourra plus revenir en arrière si on continue sans boussole !

Trois heures plus tard environ...

Nous avons pris la décision de partir à l'aveuglette quand on s'est rendu compte que personne ne passerait par le même chemin que nous. On avait tout fait : crier, souffler dans nos sifflets, rien n'avait marché. J'avais super peur de m'aventurer dans les bois sans repères. Je marchais donc en dernier, juste derrière Louve aventureuse. Corneille moqueuse suivait d'un bon pas Lapin fugueur, qui allait rapidement malgré les racines et les morceaux de bois par terre.

— Eh ! Est-ce qu'on peut ralentir ?

Lapin s'est arrêté, et Corneille lui est rentré dans le dos.

— Toi, dégage !

Édouardo l'a poussé violemment contre un arbre.

— Eh, maudit malade ! Tu vois bien que j'ai pas vu que t'arrêtais !

Inquiète, Louve aventureuse me regardait reprendre mon souffle.

— Est-ce que ça va aller ?

— Ouais… Faut juste que je prenne mes médicaments.

— D'accord…

Le silence s'est installé de nouveau dans le petit groupe. Corneille moqueuse était enragé, et Lapin fugueur regardait droit devant lui, ignorant et malfaisant comme toujours.

Perdus !

Lapin fugueur s'est finalement arrêté.

— Je crois qu'on a un problème !

À travers la forêt, on pouvait voir le ciel devenir plus sombre et le soleil se coucher tranquillement. Louve aventureuse a tremblé.

— On est vraiment perdus... Cerf argenté a dit que ça nous prendrait deux heures pour revenir au camp... Il est tard et j'suis brûlée.

— Normal, ça l'air qu'on a marché tout l'après-midi !

Corneille moqueuse avait toujours le bon mot pour réconforter le monde...

Lapin fugueur a dit en soupirant :

— J'pense qu'on aura pas le choix de se faire un abri.

Il a posé son sac par terre.

— Quelqu'un a des allumettes ?

Personne n'a répondu... c'était un vrai désastre. Nous étions perdus en forêt sans même avoir de quoi faire un feu. Seul point positif : Lapin avait parlé sans insulter personne.

J'ai jeté mon sac et me suis assis dessus. Louve aventureuse s'est installée à côté de moi en faisant la même chose. Lapin fugueur a repris la parole.

— J'pense qu'on devrait essayer de faire du feu comme Cerf argenté nous l'a montré au début du camp. J'pense qu'on va passer la nuit dehors.

— Mais j'y pense... C'est pas parce qu'une grosse tempête était prévue que la survie dans les bois était finie ? a demandé Louve, inquiète.

Tout le petit groupe regardait ses chaussures. Je commençais à être vraiment stressé.

— Oui... c'était pour ça...

J'avais parlé presque à voix basse. Le temps était de plus en plus couvert et il fallait qu'on bouge notre derrière au plus vite. Motivée, Louve aventureuse s'est levée.

— Ok ! Je m'occupe du feu ! J'suis certaine que j'vais pouvoir en faire !

Lapin fugueur a sorti sa hachette de son sac sans rien dire, puis il s'est dirigé dans les bois vers un sapin bien fourni. J'ai regardé Corneille moqueuse, qui commençait à réaliser dans quel pétrin il nous avait mis.

— Tu pourrais ramasser les racines pour attacher toutes les branches ? On va en avoir besoin de pas mal.

— Pff ! J'peux pas croire que j'vais coucher dans le même abri que lui !

Il regardait Lapin fugueur, qui travaillait un peu plus loin. J'étais hors de moi. Il fallait que cette mauvaise ambiance cesse une fois pour toutes. Je me suis donc approché à cinq centimètres de son nez.

— Écoute-moi, mon gars ! Si tu ne nous aides pas, tu vas coucher sous la pluie, c'est tout ! Et ça risque d'être pas mal frette !

Corneille moqueuse a grimacé.

— Ok, arrête de capoter ! J'vais faire ma part ! Tu coucheras à côté de lui, si tu y tiens !

— Arrête d'être de mauvaise foi ! J'ai pas plus envie que toi d'être avec ce gars-là. Par contre, on doit rester unis, on n'a pas le choix ! Ils vont bien finir par nous retrouver. Ils doivent d'ailleurs nous chercher en ce moment.

Installations de fortune !

Louve aventureuse n'avait pas réussi à causer assez d'étincelles sur la mousse pour faire des minuscules flammes. J'avais de mon côté amassé un petit tas de branchages tout près d'elle et je n'étais pas très content.

— On va geler si on n'arrive pas à l'allumer !

— Ouais…

Elle se frottait le ventre.

— J'ai faim...

J'avais rien d'autre sur moi que la barre énergétique qu'on nous avait donnée au début de la journée.

— J'ai encore ma barre, la veux-tu ?

— Oh, non ! Tu as droit à ta part ! J'y toucherai pas !

Je lui ai passé mon bras autour des épaules.

— Merci, Louve ...

Les deux autres sont arrivés avec des tonnes de racines et de branches. La récolte avait été bonne. Tout était prêt... sauf le feu. J'avais aussi installé des branches de sapin sur le sol et enlevé tout ce qui pourrait nous gêner pour la construction de notre abri. C'était une chance d'avoir trouvé un espace assez éloigné des arbres.

Corneille moqueuse est allé vers Louve aventureuse en chialant :

— Comment ça se fait que vous n'avez pas réussi à allumer ce satané feu ! Il me semble que c'est pas si compliqué que ça, non ?

— Depuis que vous êtes partis dans le bois qu'on essaie ! C'est pas mal plus simple de voir Cerf argenté le faire que nous autres, tu sauras !

Corneille moqueuse a soupiré de découragement.

— Ben… j'te disais pas ça pour t'écœurer. Je voulais juste te faire remarquer que, quelque part, dans ce bois-là…

Il a pointé le bois d'un geste du bras.

— Y'a pas mal d'ours, et le feu est une maudite bonne façon de se protéger !

Je voyais les larmes monter dans les yeux de Louve aventureuse, qui commençait à paniquer. Je suis donc intervenu :

— Ok, c'est pas grave ! On va se concentrer toute la gangue sur l'abri et, ensuite, on essaiera de faire du feu !

Tout le monde a hoché la tête et on a travaillé en équipe malgré les tensions.

Du tonnerre et des éclairs

La dernière branche venait d'être posée sur le sol quand la première goutte de pluie est tombée sur mon nez. Il faisait maintenant pas mal sombre dehors et, sans feu, c'était devenu pas très rassurant. Lapin fugueur s'est installé au bout de l'abri et a sorti son sac de couchage.

— Si on avait pu faire ce foutu feu, ils nous auraient peut-être repérés !

Il avait certainement raison, mais il fallait passer à autre chose, parce que la pluie qui tombait sur nous n'était pas une petite pluie ordinaire. C'était même un vrai déluge !

— Vite ! Il faut se mettre à l'abri ! Ça tombe en titi !

Il ne nous a pas fallu trop longtemps pour réaliser que la pluie pénétrait malgré tout à travers les branches. Elle entrait même un peu partout. Lapin a poussé un grognement d'impatience quand une grosse goutte s'est écrasée sur son nez.

— Ah ! Maudite cochonnerie ! L'eau entre quand même!

Corneille moqueuse a alors rouspété, toujours aussi baveux.

— Tu vois ben que c'est juste normal ! Il mouille comme le déluge et notre toit est juste en branches de sapins !

— Ah ! Fermez-la !

Je m'impatientais, car je voyais l'eau s'accumuler devant notre abri à cause de la pente du terrain. Je n'avais en effet pas remarqué que le terrain n'était pas droit... De toute façon, on n'avait pas d'autre endroit où faire notre campement.

— Regardez ! L'eau va nous toucher bientôt si on ne fait pas quelque chose !

Lapin fugueur a regardé et a acquiescé. C'était la première fois qu'il était d'accord avec moi ! J'étais renversé. Il s'est tourné avec peine parce qu'il ne restait pas beaucoup de place pour bouger. Il a ensuite agrippé deux bâtons de bois qu'il avait mis au fond de l'abri. J'ignorais pourquoi il avait pensé à les mettre là, mais j'étais content de ne pas avoir à sortir sous la pluie pour aller m'en chercher un.

— Corneille moqueuse et moi, on a pensé que des bâtons pourraient servir en cas d'attaque !

Louve aventureuse a frissonné. Je l'ai calmée aussitôt.

— T'en fais pas, on n'aura pas de problèmes.

Mon air optimiste n'avait pas trop l'air de la rassurer. Je faisais quand même de mon mieux. J'ai lancé :

— Bon ! Je propose qu'on gratte avec le bâton pour faire une espèce de rigole. Comme ça, l'eau se fera un chemin ailleurs que dans nos sacs de couchage !

Lapin fugueur a accepté et a creusé avec moi. C'était temps, parce que la pluie s'approchait dangereusement. Le terrain en pente commençait à ressembler à un ruisseau.

Le bras en compote et le corps tout suant, j'ai mis le bâton de côté après une vingtaine de minutes d'effort. Lapin n'était plus le même. Il semblait avoir une détermination que je n'avais jamais vue avant… J'ai décidé de faire une joke pour détendre l'atmosphère.

— En tout cas ! C'est quand même une chance ce qui nous arrive… Moi qui cherche toujours des sujets pour écrire, eh ben là, m'en voilà un !

Ils m'ont tous dévisagé sans dire un mot… Je crois que personne n'avait envie de rire.

Louve aventureuse s'est tournée pour se cacher le visage dans son sac et j'ai entendu son ventre gargouiller. Pauvre elle, elle n'avait plus rien à manger. Je me suis étiré pour sortir ma barre énergétique.

— On partage ?

Lapin fugueur a ouvert lui aussi son sac pour faire pareil. Corneille moqueuse avait déjà mangé la sienne. Alors, lapin m'a donné un bout que j'ai tendu à Louve aventureuse. J'ai aussi partagé ma barre avec Corneille.

Le tonnerre a alors commencé à gronder, et Louve s'est collée un peu plus contre moi. J'étais quand même content de me retrouver avec elle… Il fallait bien que je trouve un aspect positif à la situation. J'ai quand même eu une pensée pour Emma, qui devait être supra inquiète…

On a soudain entendu un craquement.

— Avez-vous entendu ça ?

Inquiet, Corneille moqueuse s'est redressé. Il a empoigné sa hachette, qu'il avait cachée à côté de son sac de couchage. Ils avaient finalement tous les deux caché des armes dans l'abri ! J'étais le seul à ne pas y avoir pensé… C'était un peu gênant.

— Oui. C'est quoi ?

— Si je le savais… tu le saurais !

Louve aventureuse tremblait de froid et de peur. J'ai tenté de la rassurer.

— T'en fais pas, ça doit être un petit animal, hein les gars ?

Les deux autres se sont contentés d'approuver en silence. Il y avait de plus en plus d'eau dans l'abri. La situation était vraiment de moins en moins drôle.

La nuit la plus longue de ma vie!

Les craquements avaient cessé. On entendait seulement le bruit du vent à travers les branches d'arbres. L'eau continuait à ruisseler tout près de nous. Notre espèce de rigole avait heureusement très bien fonctionné. Une chance, sinon on aurait été mouillés quelque chose de rare.

— Je vous remercie, les gars, de m'avoir donné à manger... a dit Louve aventureuse.

Surpris, Lapin fugueur s'est retourné.

— Ah ! Euh... c'est rien...

Je me suis quant à moi contenté de sourire à Louve. L'attitude de Lapin était vraiment étrange. Il était en train de changer. C'était donc le moment de le questionner un peu. Si j'arrivais à régler notre conflit qui durait depuis la maternelle, j'allais peut-être avoir une vie normale à l'école, qui sait ?

— Édouardo ?

— Quoi ?

— Ben... je me disais que vu qu'on est ensemble, ici... Pourquoi est-ce que tu me détestes autant ?

Son visage a fixé la pluie qui tombait.

— J'sais pas…

Le silence est revenu dans notre abri. Une odeur de moisi et de sapin mouillé flottait dans l'air, ce qui donnait une drôle d'impression. C'était quasiment irréel.

— Tu vas me dire que tu m'achales depuis toutes ces années sans savoir pourquoi ?

Édouardo s'est retourné pour ne pas avoir à me faire face. Corneille moqueuse et Louve aventureuse écoutaient attentivement.

— J'sais pas… J'ai toujours trouvé que c'était cool, de faire suer les plus faibles.

J'ai ravalé ma salive, parce qu'il venait de me traiter de faible et que je savais que j'étais en fait plutôt un pacifique qui n'aimait pas la violence.

— Tu me traites de faible ? Moi ?

Édouardo a soupiré.

— Commence pas à me chercher, parce que ça m'étonnerait que tu puisses te sauver dans la forêt, sous cette pluie !

— J'ai jamais rien fait pour te confronter ! Je fais juste te répondre !

— Hum…

— Et ?

— Ben, qu'est-ce que tu veux que j'te dise… Tu t'es vu la face ? Écoute, c'est du tout cuit dans l'bec ! Tes cheveux roux ébouriffés et tes yeux pas de la même couleur ! Y'a de quoi niaiser quelqu'un, c'est clair !

J'étais maintenant rouge comme une tomate. Il se moquait de mon physique, devant Louve aventureuse en plus.

— Pourquoi tu dis ça ? Tu t'es pas regardé, toi ? Tes cheveux dans la cire d'abeille !

— Laisse mes cheveux en dehors de ça ! Ils sont pas mal plus beaux que les tiens !

J'étais furieux.

— Ben tu vois, ça m'étonnerait !

Lapin fugueur m'a poussé par-dessus Louve aventureuse, qui commençait à en avoir assez.

— Bon, tu veux la bagarre, toi aussi ?

J'ai accusé le coup en fermant les yeux sous le choc.

— Hé! Ça suffit !

Louve avait crié tellement fort qu'Édouardo et moi on a figé sur place. Corneille moqueuse, qui voulait aussi profiter de la bagarre, en a aussi pris pour son rhume quand Louve aventureuse lui a donné un coup de coude dans les côtes.

— Ça va faire, gangue de niaiseux !

Un coup de tonnerre est venu amplifier ses paroles. C'était un peu troublant. Un craquement bizarre s'est fait entendre tout de suite après.

— C'est quoi ça ?

Elle claquait des dents de peur. Et elle n'était pas la seule à être anxieuse. Moi non plus, je n'avais pas l'habitude des bruits de la forêt. Corneille moqueuse a essayé de détendre l'atmosphère.

— C'est peut-être le fantôme de Sérénio, l'Amérindienne du lac !

Puis, il a éclaté de rire. Il était évident que toute cette histoire de fantôme ne l'avait pas du tout impressionné. Il n'y croyait même pas du tout. De mon côté, je ne savais plus trop, parce que j'avais confiance en Cerf argenté. Cette légende était si bien racontée que j'avais des doutes. Je me disais que c'était peut-être vrai…

Lapin fugueur en a rajouté :

— En tout cas, si c'est ton Amérindienne, elle s'est perdue dans le bois ! On devrait peut-être lui faire une place dans l'abri, hein ?

Il riait à son tour quand un craquement plus prononcé s'est fait entendre juste à côté de nous. Cette fois-ci, c'était du sérieux. La chose qui faisait du bruit allait arriver devant nous. J'avais atrocement peur. Louve aventureuse, elle, s'est cachée le visage sous mon bras, et Lapin fugueur a attrapé un bout de bois pour me le lancer, histoire que je me défende. Je l'ai attrapé au vol.

— Mais... qu'est-ce... qu'est-ce que c'est ?

Horrifié, Lapin s'est retourné. Un énorme ours noir s'est dressé devant nous en poussant un puissant grognement.

— Non ! Oh, mon Dieu !

Mon cœur n'a fait qu'un tour. Lapin fugueur est alors sorti de l'abri et s'est planté devant l'ours en criant. Incroyable !

L'ours est retombé sur ses pattes et a reniflé l'air bruyamment. On pouvait l'entendre malgré la pluie qui tombait. J'étais sous le choc.

— Reviens, Édouardo !

Il n'a pas répondu. Il était debout devant le gros ours, qui semblait l'étudier lui aussi. Soudain, l'animal s'est levé de nouveau sur ses deux pattes arrière et a poussé un grognement à vous faire dresser les cheveux sur la tête. Lapin fugueur restait pourtant devant la bête, sans bouger, prêt à nous défendre… Je ne pouvais pas le laisser seul comme ça, il fallait que je l'aide.

— Donne-moi ta hachette ! ai-je demandé à Corneille moqueuse.

Il me l'a passée sans poser de question.

— Reste ici avec Louve… protège-la !

Je me suis jeté sur l'ours en criant comme un homme des cavernes. Ce dernier s'est retourné et a tenté de me griffer avec une de ses énormes pattes. Il était debout et faisait au moins le double de ma grandeur. J'ai fermé les yeux et j'ai foncé.

J'ai touché l'ours sur le côté de son ventre, ce qui l'a rendu furieux. Mais, plutôt que de m'attaquer, il s'en est pris à Édouardo qui se tenait devant lui, un bâton à la main.

— Attention !

L'animal a essayé de mordre Édouardo, mais ce dernier lui a mis son bâton dans la gueule. Le bâton a craqué sous la mâchoire de la bête, qui l'a recraché comme une vulgaire brindille. Édouardo est tombé par terre. Mon cœur battait très fort dans ma poitrine. Je me suis jeté devant la bête à côté d'Édouardo pour blesser l'ours et lui faire peur.

— Qu'est-ce que tu fais ? T'es fou ou quoi ? Sauvez-vous !

— Pas question !

L'ours a griffé le bras de Lapin fugueur, qui a commencé à saigner. Il est tombé à genoux en gémissant de douleur. J'ai alors entendu Louve aventureuse crier. Je devais passer à l'action, c'était maintenant ou jamais. Je devais trouver le courage d'affronter mes peurs.

Mon plan de match : distraire la bête pour que Lapin puisse aller se cacher. J'ai donc couru vers la forêt en criant si fort que tout l'air que contenaient mes poumons est parti.

L'ours a hésité un instant et a commencé à aller dans ma direction, mais il a stoppé son geste et a reniflé l'air. L'odeur du sang de Lapin fugueur était trop forte. Il ne voulait pas lâcher sa prise si facilement. Je suis donc revenu sur mes pas et me suis planté entre Lapin fugueur et lui.

— Tu veux quoi, sale bête ? Tu veux vraiment que je te donne un coup de ça ? ai-je crié en montrant ma hachette.

On aurait dit que toute la rage que je contenais depuis longtemps voulait sortir de moi et que toutes mes valeurs me quittaient là, à cet instant.

Moi qui n'avais jamais voulu faire de mal à une mouche, j'étais prêt à tuer une bête énorme d'une tonne. Prêt sans être vraiment capable, c'est sûr, mais avec l'adrénaline, je n'y pensais pas.

— Allez, viens ! Viens ici, j'te dis !

Lapin fugueur m'a aidé en criant après l'ours, qui rôdait encore autour de nous comme une hyène.

L'ours s'est élancé, et j'ai couru vers lui comme si j'allais à la guerre. La buée sortait de ma bouche et lui de sa gueule comme d'un train à vapeur. J'étais complètement en sueur. On s'est finalement arrêtés à deux mètres l'un de l'autre et on s'est fixés, immobiles.

Et soudain, l'ours a décidé de partir, je ne saurai jamais vraiment pourquoi. Je suis resté là, sans bouger, à la fois complètement vidé de mes forces et incapable de croire à ma chance. Il était parti ! Parti ! Sans tuer personne ! Je commençais à réaliser ce qui venait de se passer et je tremblais de partout. Et je suis finalement tombé à genoux dans la bouette. Édouardo s'est approché de moi en se tenant le bras, qui saignait encore beaucoup.

Il m'a ensuite serré si fort dans ses bras que j'en ai eu le souffle coupé.

— Merci... Merci, Mady...

Du courage et de la persévérance!

Louve aventureuse et Corneille moqueuse sont sortis de l'abri pour venir nous aider. Il était temps que quelqu'un vienne, d'ailleurs, parce que je sentais qu'Édouardo allait s'effondrer d'un moment à l'autre. Corneille était figé devant la quantité de sang qui se trouvait par terre. Il faisait noir, mais nos yeux s'étaient habitués à la noirceur.

— Nom d'un chien! Y'a ben du sang!

Je fixais Corneille, histoire de lui faire comprendre que ce n'était peut-être pas une bonne idée de le dire aussi fort devant Lapin fugueur. Ce dernier a commencé à gémir.

— J'ai super mal, les gars... ça brûle...

Louve aventureuse m'a aidé à le coucher sous les branches de sapin. On était tous trempés.

— Il faut absolument désinfecter la plaie le plus vite possible.

Elle a fouillé dans son sac pour sortir sa trousse de premiers soins.

— Étendez-le ici !

J'étais vraiment sous le choc. Toute cette histoire était abracadabrante... On se serait cru en plein film d'horreur.

— Bon, ok... tu vas voir Lapin, ça va bien aller. J'ai pris des cours de secourisme, cette année.

Voyant que le sang était pris dans le chandail d'Édouardo, Louve aventureuse a déchiré le tissu pour voir la blessure. J'ai détourné le regard quand je l'ai vue. Je ne connaissais pas grand-chose à tout ça, mais ça avait vraiment l'air sérieux. Les griffes de l'ours avaient entaillé le bras d'Édouardo profondément. Il y avait en fait quatre trous, et autour la peau commençait à rougir. Corneille était blanc comme un drap, et j'imagine que je n'étais pas mieux. Je commençais à trembler à nouveau.

Heureusement, Louve est restée calme. Elle a sorti un peu de désinfectant, quelques pansements et une petite bande de son sac, mais c'était insuffisant.

— Qu'est-ce qu'on va faire ? ai-je demandé.

— On va attendre… Impossible de continuer ensemble demain matin… Édouardo pourra pas suivre.

— Alors, vous continuerez sans moi !

— Il est hors de question qu'on abandonne un ami en route.

Il m'a fixé intensément, les yeux pleins d'eau.

— Je mérite pas que tu t'occupes de moi, et encore moins que tu m'aies sauvé tout à l'heure… J'suis un pauvre con, comme dirait mon père.

Corneille moqueuse et Louve aventureuse m'ont regardé sans rien dire. Ils attendaient de voir ma réaction.

— C'est à cause de ton père que t'agissais comme ça ?

Édouardo fixait maintenant le vide, et des larmes coulaient le long de ses joues.

— Mon père me bat quand j'fais pas ce qu'il me demande… J'en ai assez… j'suis fatigué… Tout à l'heure, j'espérais quasiment que l'ours en finisse avec moi, qu'il m'empêche de souffrir encore.

Je revoyais la scène dans ma tête… C'est vrai qu'Édouardo avait eu un courage incroyable…

Se jeter comme ça devant l'ours, c'était la pure folie ! Un sentiment bizarre m'a envahi et je lui ai pris la main.

— T'auras plus à endurer ça… Je vais te protéger, moi… t'aurais dû me le dire avant.

Louve aventureuse a essuyé une larme qui avait coulé le long de sa joue. C'était très émouvant. Corneille moqueuse, lui, ne disait rien et tentait de trouver des vêtements secs dans les sacs à dos. La conversation prenait des allures de thérapie, et ça le rendait visiblement mal à l'aise.

— Je mérite pas que tu me protèges, j'aurais dû y penser avant…

J'ai empêché Édouardo de parler à nouveau.

— Arrête ! Tu vas voir… à notre retour, tout va changer. Il faudra plus que tu vives comme avant, et ton père devra changer, sinon… ben… tu devrais faire appel à un organisme qui vient en aide aux jeunes en détresse. Les spécialistes qui travaillent dans ces centres pourront te dire quoi faire et te guider.

Surprise, Louve aventureuse a écarquillé les yeux, mais a continué son bandage sur le bras de son malade qui grimaçait. D'ailleurs, il a rouspété un peu :

— Ouin… j'te remercie, Louve, mais t'es pas mal dure avec tes malades ! Tu ferais peut-être mieux de penser à un autre métier qu'infirmière !

Elle a froncé les sourcils.

— Ça pourrait être pire, tu sais. Je pourrais demander à Corneille moqueuse de le faire !

Édouardo a ri malgré la douleur. Cette nuit était vraiment spéciale. J'étais trempé dans un abri, au milieu de nulle part… C'était à n'y rien comprendre. Je venais de régler le pire problème de ma vie et, je ne sais pas pourquoi, des paroles de ma grand-mère Thérèse me sont revenues en tête. Un jour, alors qu'on se promenait dans la forêt, elle m'avait en effet demandé de fermer les yeux. Je l'avais fait, et elle m'avait dit : « Si un jour, tu ne sais plus où ta vie te mène… reviens ici, ferme les yeux… et écoute l'esprit de la nature. Tu trouveras toujours une solution à tes problèmes, fiston ! » Je l'avais trouvée un peu *weird,* mais je comprenais enfin ce qu'elle avait voulu dire. La forêt avait un effet magique sur les gens, un effet thérapeutique. Je comprenais aussi pourquoi Cerf argenté nous avait raconté l'histoire de Sérénio… Cette année, je l'avais rencontrée d'une certaine manière avec cet ours… Et toute cette aventure nous avait transformés pour toujours…

Enfin du secours!

On a quand même pu dormir un peu. J'avais peur de cette nouvelle journée. Et si on ne nous retrouvait pas? Mais bon, le soleil brillait à travers les branches d'arbres, et une sensation de calme m'avait bizarrement envahi. Je sentais que ma vie serait plus facile, désormais. Un énorme poids s'était libéré de ma poitrine, et maintenant, j'étais un nouveau gars… sans peur. Je me suis soudain rendu compte que, pendant cette incroyable soirée, je n'avais pas pris mes médicaments pour l'asthme et que je me sentais bien quand même. J'étais peut-être aussi guéri de tout ça, enfin…

Corneille moqueuse m'a posé la main sur l'épaule.

— Alors, mon vieux, ça va ? On dirait qu'on a réussi à passer au travers, hein ?

Je lui ai fait un grand sourire.

— Ouep ! On dirait ! On va tenter de faire du feu, ok ?

Il a regardé autour de nous et a observé Louve aventureuse en train de se réveiller.

— Ouin... Ce sera pas simple, par exemple. Tout est mouillé !

— J'le sais, mais j'suis certain qu'on va être capables !

— T'es positif !

— Faut ce qu'il faut !

On a installé un nouveau cercle de pierres et j'ai fouillé sous nos sacs de couchage pour chercher un peu de mousse, des branches et des petites roches sèches. Par chance, j'en ai trouvé assez pour faire deux essais. Louve aventureuse m'a félicité.

— Wow ! J'aurais pas pensé à faire ça ! C'est une super de bonne idée !

Je me contentais de sourire. Si ça pouvait fonctionner, alors là, je serais ultra content !

— Vas-y, Écureuil ! C'est là qu'on va voir si t'es vraiment agile !

J'ai fait un clin d'œil à Corneille moqueuse, qui n'avait rien perdu de son côté achalant. Cette fois-ci, c'était la bonne ! J'allais réussir à faire du feu !

Je frappais les roches en espérant que la mousse s'enflamme. C'était difficile, et je me suis dit que les Amérindiens méritaient mon respect...

Corneille m'a encouragé.

— Vas-y, mon homme ! On va l'avoir !

Je tapais le plus vite possible. J'avais les bras engourdis, mais j'étais déterminé à allumer ce feu moi-même...

Une étincelle a finalement jailli et a enflammé un bout de mousse, provoquant un petit nuage de fumée.

— Tu vois ! Vas-y, tape ! a continué Corneille.

La mousse a pris grâce au souffle de Corneille, qui s'excitait comme un fou.

— Cool ! Maintenant, faut pas le perdre, ce feu-là !

Je l'ai aidé à déposer les branches enflammées dans le petit tas qu'on avait préparé.

— Attention, faut pas qu'il s'étouffe...

Moins de cinq minutes plus tard, on avait un vrai feu. J'avais envie de danser autour comme un Amérindien. Corneille moqueuse était heureux. Lapin fugueur s'était réveillé lui aussi et nous regardait avec un air réjoui, malgré la douleur. J'avais réussi ! J'avais le goût de hurler ma joie !

Lapin fugueur a voulu se lever, mais il est tout de suite retombé. Louve aventureuse l'a aidé à se rasseoir.

— T'en fais pas, mon vieux, on va nous trouver vite, maintenant qu'on a un feu.

Il s'est contenté de répondre par un hochement de tête.

— J'ai soif...

Elle lui a tendu le peu d'eau qu'il nous restait. Personne n'avait pensé à prendre les bouteilles et à les remplir d'eau de pluie, c'était dommage. Mais il faut dire qu'on manquait un peu d'expérience et qu'on avait encore des croûtes à manger. J'avais d'ailleurs tellement faim que je voyais des étoiles. Il fallait vraiment qu'on nous trouve.

On s'est installés près du feu. Corneille a commencé à nous faire rire. Une chance qu'on l'ait eu avec nous pour nous changer les idées. Il nous a raconté les tours qu'il avait faits à son école. Lapin l'écoutait avec attention, grimaçant parfois de douleur. Sa blessure était bien rouge et il fallait que quelqu'un s'en occupe au plus vite.

Je ne pourrais pas dire combien de temps nous sommes restés là, autour du feu, à remettre des bouts de bois mais, à un moment donné, j'ai entendu des sifflets et des cris.

Corneille moqueuse et moi, on s'est alors levés et on a crié comme des fous :

— On est ici !

Louve aventureuse a lâché Lapin fugueur pour aller chercher son sifflet dans son sac.

— Je vais siffler, comme ça, ils vont nous entendre ! Prenez les vôtres !

Moins de trente secondes plus tard, on avait tous nos sifflets en bouche, sauf Édouardo qui était trop faible. J'ai alors vu apparaître Cerf argenté qui courait vers nous. Il était en compagnie de bénévoles. Je me suis jeté dans ses bras et j'ai soupiré de soulagement. Cerf argenté était dans tous ses états.

— Bon sang ! Vous êtes sains et saufs !

J'ai regardé en direction de Lapin fugueur.

— Pas tout à fait.

Cerf argenté a compris aussitôt ce qui s'était passé. Il s'est accroupi près d'Édouardo et a regardé sa blessure.

— Je n'arrive pas à y croire. Que s'est-il passé?

Lapin, qui commençait à tourner de l'œil, a mis sa tête au creux de l'épaule de Cerf, qui a fait signe aux secouristes de l'aider.

— Vite ! Installons-le sur une civière !

Édouardo a relevé la tête vers moi, puis il a regardé Cerf argenté et a dit avant de s'évanouir :

— C'est Mady qui m'a sauvé... C'est grâce à lui si je suis en vie. Il a attaqué l'ours sans réfléchir une seconde...

Sous le choc, Cerf argenté a alors vu le sang sur le sol. Une chose pareille ne s'était jamais produite depuis qu'il travaillait au camp. Aucun enfant ne s'était jamais perdu ni fait attaquer. Il a soupiré de soulagement. Tout le monde était hors de danger.

Un deuxième groupe mené par Faucon courageux est arrivé deux minutes plus tard. Je m'attendais à voir Emma, mais elle était restée au camp.

— Eh ! Comment ça va, ici ? Vous nous avez fait une de ces peurs !

Elle a posé son regard sur Édouardo.

— Mon Dieu ! Il est blessé !

La main sur la bouche, elle s'est approchée lentement. Cerf argenté lui a demandé de nous aider à prendre nos sacs.

— Donne-leur quelque chose à manger aussi ! Je pense qu'ils sont affamés !

Louve aventureuse et Corneille moqueuse sont venus me rejoindre, et on a regardé Lapin fugueur partir sur une civière.

Retour au camp...

Au camp, un véritable troupeau nous attendait. Je n'étais pas surpris à cause de la situation, mais j'étais fatigué et encore tremblant. Faon charmeur est arrivée en courant et s'est jetée dans mes bras, devant les yeux surpris de Louve aventureuse.

— Mady ! Mady ! J'ai cru que j'te reverrais jamais ! !

Je l'ai serrée à mon tour. J'avais quand même eu la chance d'être celui qu'elle avait choisi en premier. Corneille moqueuse m'a regardé d'un air un peu jaloux.

— Comme tu vois, j'ai survécu !

Je tremblais légèrement sous l'émotion. Cerf argenté s'est approché et a fait le ménage autour de nous.

— Ok ! Je pense que vous pourrez leur parler bientôt mais, pour l'instant, laissez-nous, s'il vous plaît ! Retournez à vos occupations !

Emma a lâché ma main. Nous avons marché vers la maison en bois rond de l'accueil. Là-bas, une ambulance attendait déjà Édouardo. Cerf argenté m'a attrapé par le bras et a fait signe à Corneille et à Louve de se rapprocher.

— Vous trois, vous allez me raconter toute l'histoire, d'accord ?

Corneille moqueuse a baissé la tête. Je faisais la même chose quand Édouardo a sifflé. Je me suis aussitôt retourné vers lui. Il me faisait signe d'approcher. C'était un peu gênant, les ambulanciers s'apprêtaient à l'embarquer. J'ai quand même couru le rejoindre. Cerf argenté m'a suivi… Je savais qu'il voulait seulement me protéger, mais la situation avait changé, maintenant…

— Écureuil…

Il avait utilisé mon nom totem…

— Oui, Lapin ?

— J'te remercierai jamais assez… J'oublierai jamais ça. J'vais dire à tout le monde à mon retour que j'ai vu le plus grand guerrier. T'as pas le bon nom totem… C'est Ours guerrier que tu mériterais !

J'avais les yeux pleins d'eau et à peine la force de lui serrer la main. Il n'y avait rien qui sortait de ma bouche, sinon de grosses larmes de crocodile. Cerf argenté a posé sa main pardessus les nôtres.

— Bravo, les gars… C'était la meilleure chose qui pouvait vous arriver.

Édouardo est finalement parti, et je suis resté seul avec Cerf argenté.

— Je suis fier de toi, Ours guerrier… Lapin fugueur a raison, on va changer ton nom totem.

Il m'a entraîné vers Louve aventureuse et Corneille moqueuse, qui attendaient un peu plus loin. Quelques minutes plus tard, nous étions tous dans son bureau, pour raconter la pire nuit de notre vie.

Louve a donné sa version et Corneille, la sienne. Il a expliqué comment il avait fracassé la boussole sur une roche et la suite des évènements. J'écoutais Louve décrire mon attaque lorsque l'ours est arrivé et comment j'étais venu en aide à Lapin fugueur sans réfléchir. Comment aussi j'avais affronté l'ours en criant comme un fou et comment je l'avais fait partir.

Ébahi, Cerf argenté écoutait le récit. Louve aventureuse continuait à raconter fièrement ce que j'avais fait pour les sauver.

Après, Cerf a pris une grande respiration et s'est levé tranquillement.

— Merci, Louve… Merci, Corneille… J'aimerais maintenant parler seul avec Ours guerrier.

Louve aventureuse a souri.

— Ours guerrier ? Mais c'est qui, celui-là ?

Corneille lui a donné un coup de coude.

— Nounoune ! Tu vois ben que c'est lui !

Louve l'a entraîné vers la porte en riant.

— Je sais ! Je blaguais !

Cerf argenté leur a conseillé d'aller se reposer au moins jusqu'au dîner. Je me suis retrouvé seul devant le grand Amérindien.

Il a commencé par me regarder intensément, avec ses yeux noirs comme le charbon.

— La nuit dernière… tu as affronté l'esprit de la forêt le plus fort, mais aussi le plus sage. L'ours est un grand animal totem. Je dirais même qu'il est venu à toi parce que tu avais besoin de sa guérison.

J'ai approuvé de la tête en silence. Je ne savais pas pourquoi, mais tout ce qu'il disait avait du sens pour moi. C'était la première fois que je comprenais vraiment le sens des animaux totems. Je me sentais différent.

— Tu te sens revigoré et nouveau parce que tu as vaincu les peurs qui t'étouffaient depuis longtemps. L'ours sera toujours avec toi, dorénavant.

— Mais alors, pourquoi tu avais choisi l'écureuil comme totem ?

— Je ne m'étais pas trompé, si c'est ce que tu crois ! Au début, tu étais nerveux et peureux comme cet animal. C'est toi qui as changé...

Ces dernières paroles sont restées gravées dans ma tête. Je n'avais plus rien à ajouter. Cerf non plus, de toute évidence. Il s'est donc levé... et a fait une chose à laquelle je ne m'attendais pas du tout ! Il a retiré sa propre amulette et me l'a mise autour du cou !

— J'attendais de rencontrer un grand guerrier pour la transmettre. Je crois bien l'avoir trouvé.

J'étais ému... Mes lèvres tremblotaient, mais je ne voulais pas le montrer.

— Tu seras toujours dans mon cœur, Ours guerrier. Nous serons toujours liés par cette amulette et nous sommes frères, maintenant.

Il m'a serré dans ses bras et j'ai senti le temps se figer. Je sentais mon cœur battre très fort dans ma poitrine. Je ne savais pas ce que j'aurais comme vie, ni où je m'en irais, ni même qui resterait à mes côtés, mais une force invisible m'habitait et je savais qu'elle serait toujours là, maintenant...

La fin du camp...

Nous avons reçu des nouvelles d'Édouardo, qui se rétablissait en compagnie de son père. Il m'a envoyé des lettres en me disant que toute cette histoire les avait rapprochés. Son père avait promis de suivre une thérapie pour contenir sa violence.

Quant à moi, tout le monde au camp était au courant de mes exploits. Emma ne me regardait plus vraiment comme avant, et j'étais très populaire. Par contre, on aurait dit que toute cette attention ne m'intéressait pas plus que ça. Maintenant, ce n'était plus si important de me sentir accepté par les autres et l'image que je renvoyais.

Les autres activités du camp ont été le fun.. Quand le dernier jour est arrivé, il m'a semblé que tout avait finalement passé trop vite...

Cerf argenté et Faucon courageux nous ont réunis une dernière fois autour d'un feu. Tout le monde semblait triste, sauf Mouffette constante qui était heureuse que toute cette aventure soit enfin terminée. Après tout, ça prenait toutes sortes de personnes pour faire un monde… J'avais de mon côté bien hâte de voir mes parents. J'avais juste un regret : je devais quitter mes nouveaux amis et, parmi eux, ma belle Louve aventureuse…

Cerf argenté nous a regardés en souriant.

— Ce camp restera gravé dans vos mémoires pour longtemps. Vous avez tous vécu des aventures et des situations qui vous ont demandé du courage et de la force. Bear Town ne vous oubliera jamais… Je vous souhaite de vous accomplir dans tout ce que la vie vous réservera ! Que ce soit dur, facile, drôle ou triste, les animaux totems feront partie de vous à jamais…

Je regardais autour de moi. Louve aventureuse et Corneille moqueuse avaient les yeux pleins d'eau. Tous les campeurs se tenaient par la main. Nous étions fiers d'avoir vécu ces six semaines d'initiation.

Faucon courageux a pris la parole alors que les autobus ouvraient leurs portes. C'était le moment du départ.

— Que dire après le discours de Cerf argenté ? Je voudrais juste ajouter que j'ai appris à vous aimer chaque jour un peu plus… Ça va être dur de vivre sans vous ! Il va falloir que vous veniez nous voir, ok ?

Tout le monde a applaudi alors que Faucon semblait vouloir éclater en sanglots, elle aussi.

— Merciii !

Tout le monde s'est serré, et on a tous promis de rester en contact. Louve aventureuse s'est approchée de moi.

— Tu vas m'écrire, hein ?

— Certain ! J'vais m'ennuyer de toi, tu sais…

Elle m'a serré très fort dans ses bras.

— Moi aussi…

Elle m'a ensuite encore embrassé, et je suis comme d'habitude resté les bras ballants comme un innocent. Je ne savais jamais quoi faire dans ces moments-là, zut ! J'étais nul pour ça. Emma s'est retournée, légèrement confuse. J'aurais aimé qu'elle ne nous voie pas...

Louve a ramassé son gros sac et m'a serré une dernière fois.

— Au revoir, Mady…

Je ne voulais pas dire son vrai nom… pour moi, elle resterait toujours Louve aventureuse.

— À plus tard, ma belle Louve...

Elle a compris et m'a fait un dernier geste de la main avant d'entrer dans l'autobus.

J'ai senti une main sur mon épaule. C'était Corneille moqueuse qui me souhaitait un bon voyage. On s'est fait l'accolade.

— Sans rancune pour la boussole, vieux !

— J'espère que tu me niaises ! Allez, bon retour ! N'oublie pas de me donner des nouvelles, ok ?

Il m'a fait un clin d'œil avant de partir à son tour. J'allais rejoindre Emma à l'intérieur de mon autobus quand Cerf argenté s'est approché.

— Attends ! Ours guerrier ! Tiens, c'est pour toi !

Il m'a tendu un livre en mauvais état.

— Qu'est-ce que c'est ?

— C'est mon livre sur les animaux totems que mon grand-père m'a transmis quand j'avais ton âge ! J'te le donne. Tu en feras bon usage, c'est certain !

J'étais ému, c'était un gros cadeau.

— Mais…

Cerf a refermé mes mains sur le vieux livre.

— Je le connais par cœur… Et je souhaite qu'il t'apporte la sagesse qu'il m'a donnée…

Je me suis jeté dans ses bras en pleurant.

— Je garderai ce livre avec moi toute ma vie, c'est promis !

Cerf m'a souri.

— Je te souhaite un bon voyage et reviens vite nous voir, d'accord ?

— J'y manquerai pas !

Le chauffeur de l'autobus a klaxonné pour m'indiquer qu'il était temps que je grimpe à bord. Cerf argenté m'a aidé à mettre mon sac avec les autres. Puis, en faisant un dernier geste de la main, je suis monté rejoindre les autres.

Je suis directement allé m'asseoir à côté d'Emma. Cette fois-ci, pas question de faire le trajet avec Stéphanie. Mon amie a posé sa tête sur mon épaule.

— Le trajet va être dur. Je ne pensais pas que ça serait aussi difficile de partir d'ici…

— Moi non plus…

J'ai regardé le cœur gros le camp s'éloigner par la fenêtre et me suis juré d'y revenir.

De retour au bercail !

Mon père, Julie, ma grand-mère et ma mère m'attendaient tous au bord du trottoir de l'école.

Ils n'étaient pas seuls, c'était rempli de monde. J'ai par contre tout de suite remarqué que ma mère était toute seule. Mathieu, le père d'Emma, attendait plus loin sur le trottoir. Emma a confirmé mes doutes.

— La journée que tu t'es perdu dans le bois, j'ai reçu une lettre de mon père… Ils sont plus ensemble.

J'étais surpris, mais en même temps soulagé.

— Pourquoi tu me l'as pas dit ?

— Ben… je voulais pas que tu retournes te cacher dans le bois en courant ! Avec toi, on sait jamais !

— Ha ! Ha ! Ha ! Très drôle !

On est sortis de l'autobus et mon père m'a serré fort dans ses bras.

— Ah ! Mon fils ! J'me suis tellement ennuyé !

Mon père était drôle, et il me semblait qu'il avait grossi.

— Coudonc, papa ! Tu as grossi ?

Oui, mais moins que Julie, qui elle avait pris beaucoup de poids pendant les six dernières semaines et ressemblait à une montgolfière ambulante.

— J'suis contente de te voir, mon beau Mady !

— Moi aussi, Julie !

Ç'a ensuite été le tour de ma mère et de grand-maman Thérèse, qui me pinçait les lobes d'oreilles en me donnant des becs.

— Ouache !

Ma mère l'a poussée du bras.

— Voyons, maman ! Arrête de lui faire mal ! Il va repartir tout de suite, sinon !

Tout le monde a éclaté de rire, et j'ai fait un gros câlin à ma mère. Elle m'a regardé dans les yeux.

— Il me semble que t'as changé, toi ? As-tu grandi, par hasard ?

— Ah... si tu savais, maman !

Mon père a alors proposé d'aller dîner en ville. J'ai regardé ma mère, certain qu'elle allait refuser l'invitation, mais elle a accepté. Voilà qui était très surprenant. Il n'y avait finalement pas juste moi qui avais grandi dernièrement...

— Allons fêter ça ! s'est exclamé papa. Tu nous raconteras tout ton camp, mon gars !

Je n'ai pas pu m'empêcher d'avoir un petit sourire en coin.

— J’espère que vous avez l’estomac solide, alors !

Ils ont éclaté de rire et moi aussi. J’avais le cœur enfin léger et j’étais heureux.

À suivre...

Mady

Titres de la collection

ISBN 978-2-89595-490-3

ISBN 978-2-89595-492-7

ISBN 978-2-89595-493-4

Imprimé sur Rolland Enviro100, contenant
100% de fibres recyclées postconsommation,
certifié Éco-Logo, Procédé sans chlore, FSC
Recyclé et fabriqué à partir d'énergie biogaz.